Illustration couverture
Isabelle Rivest

Mise en page et
conception graphique
Caméléon Publi-Design

© Les Éditions Mailloux-D'Amours inc.
(450) 229-6867
Tous droits réservés Imprimé au Canada

LES ÉDITIONS
Mailloux-D'Amours inc.
DISTRIBUTION DE CASSETTES AUDIO
FABRICANT DE LA COLLECTION "DÉVELOPPEMENT PERSONNEL"
La connaissance de soi par l'écoute

Table des matières

Introduction

VOILÀ !

Tout un cadeau que je me fais, pour mes quarante ans : quarante textes,
où je prends le risque de laisser tomber les masques, où je célèbre ma vie.
Vous êtes tous invités à cette grande fête.

Je touche enfin à la liberté : celle d'être et d'assumer ce que je suis.
Avec toutes les peurs et les désirs que cela implique.

L'autre cadeau que je me suis offert, c'est d'avoir choisi de me créer à partir de
mes blessures. Ma créativité, à travers ces textes, en est un exemple.

Les autres cadeaux, c'est vous qui me les avez apportés,
par votre amour, vos témoignages, et votre différence !

Je vous offre à mon tour un présent, sans emballage ni carte de visite : simplement des jeux de mots... sur les maux.

Mots croisés, mots au sens figuré, mots au sens propre aussi, mots qui n'exis-
tent pas ou déformés, mots d'amour toujours ! Tous les coups sont permis, tant
qu'ils restent honnêtes et porteurs de bonnes intentions. Rebelle, je me suis
amusée à faire quelques entailles aux règles du grand art qu'est le français.
Question de faire autrement, de capter votre attention complètement,
afin de vous amener à ENTENDRE PLUS QU'À COMPRENDRE.

En terminant, je vous invite à lire mes textes, lentement, très lentement, avec
les yeux du cœur.

À lire en prenant le temps que ça prend pour respirer et entendre les battements
de son cœur.

Peut-être ce cœur aura-t-il des choses à vous dire, à son tour?
C'est cela, mon cadeau !

Remerciements

La vie étant pleine de rebondissements, il arrive parfois, comme dans un match de basket, de recevoir des coups durs et de tomber.

Il arrive également que quelqu'un mesure mal son intensité et qu'il vous fasse une passe en plein ventre, vous coupant le souffle !

J'ai choisi de ne pas rester là, par terre, à m'apitoyer sur mon sort. Après avoir respiré un bon coup, pleuré, pris soin de ma blessure, doucement, je me suis relevée. Un pas à la fois, je suis revenue au jeu. J'étais décidée à remporter la partie, « pas nié » par « pas nié », tout en m'amusant.

Oui la vie, c'est du sport !

Dans l'adversité, elle m'aura permis de garder la forme et développer ma force intérieure; de remporter aussi des victoires.

Je me remercie d'avoir continué à jouer, malgré les défaites.

Merci! du fond du cœur :

- à mon équipe : Marc, mes filles Marilie et Fanny, Michael, Samantha, mes parents, mon frère Alain, mes grands parents, nos familles, mes amis et amies, mes étudiants, mes étudiantes et toutes ces personnes spéciales qui m'ont tant apporté. Vous avez été mon inspiration, ma profonde motivation, mon terrain de pratique aussi, le plancher solide sous mes pieds.

- à mes « coaches » : Marcel Mailloux, Thérèse Pelland Mailloux et Jacques

Salomé. Surtout à Marcel, dont l'amour et la foi déplacent des montagnes, qui a cru en moi, plus que je ne le pouvais moi-même;

- à Thérèse également, pour ce qu'elle m'inspire, dans toutes ses facettes, encore plus en la femme qui se respecte et se fait respecter : tigresse ou chatonne, à chaque rencontre, elle m'impressionne;

- à M. Salomé : pour m'avoir montré le chemin des « mots pour le dire »;

- à mes adversaires :
  Bon! Je me dis que parfois, ils auraient pu y aller moins fort!
  Malgré tout, je leur souhaite de s'asseoir sur un banc quelques instants, le temps de se déposer, se regarder, en prenant bien soin de panser leurs plaies;

- à mon commentateur sportif : Lorraine Nobert, pour la relecture de ce livre, « mon bébé ».

Merci! sage femme de m'avoir aider à accoucher avec tant de confiance et de douceur;

- à mes éclaireurs, (pour la plupart des élèves de l'école secondaire d'Iberville), qui ont illustré mes textes de façon géniale, tout en lumière :

  Marie-Pierre Biron
  Guyane Beaulieu
  Isabelle Rivest
  Michelle Perreault (collaboration spéciale)
  Virginie De la Chevrotière
  Éloïse De la Chevrotière
  Louis Lefebvre
  Véronique Laliberté

Geneviève Lavallée
Carolyne Mireault Dufresne
Alexie Janie Toulouse
Mélanie Dubé
Sophie Fournier
Sophie Bordeleau
Émilie Lemay Hébert

Et finalement,

Merci à vous, spectateurs, de m'encourager en si grand nombre.
Le ballon est maintenant dans votre camp!
Au jeu!

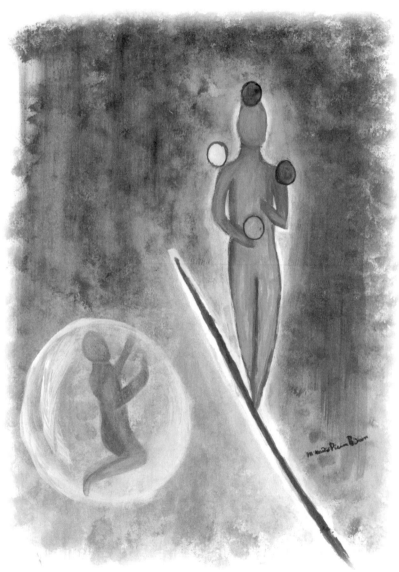

Somnambule ou funambule ?

Je dédie ce texte à tous ceux qui croient que c'est la nuit dans leur vie. Il suffit parfois d'oser faire encore quelques pas afin de retrouver son équilibre, la lumière, l'espoir et enfin sortir du noir.

Seul dans sa bulle, le somnambule déambule rêvant sa vie.
Seul dans sa bulle, le somnambule s'ennuie.
Sans savoir pourquoi, il marche dans la nuit,
à tâtons, sans destination, sans passion.
Il ne sait plus vraiment qui il est.
Peut-être, à sa façon, cherche-t-il à l'oublier.
Entre nous, c'est qu'il s'est perdu quelque part entre ses rêves et le devoir.

Soudain, le sol tremble sous ses pieds.
Impossible de continuer les yeux fermés, sans s'écrouler.
Alors, il les ouvre, farouchement.
Aveuglé, il voudrait retrouver son obscurité pour soulager sa peur.
Mais en même temps, il n'arrive pas à détourner son regard
Il l'a reconnu !
Attiré, une seule envie le pousse à avancer, celle de saisir la main que l'amour lui a tendue.

Comme le somnambule voudrait être funambule !
Avec quelle aisance, il pourrait ainsi retrouver l'équilibre qui lui permettrait de franchir la distance qui les sépare.
Sa vie se joue au rythme d'une musique de cirque, pendant que sur sa corde raide, il jongle avec ses émotions, ses rêves et ses peurs.
Il risque, il ose, se donnant entièrement, en quête de cette sensation d'ivresse, engendrée par ce dépassement de soi qui nous fait devenir grand.
Moqueur, le funambule adresse un pied de nez au somnambule car lui...
au moins... il dort la nuit.

En dedans

Ce texte, je me le dédie sans prétention... sans « détention ». Je veux me reconnaître dans le cheminement que j'ai fait depuis 10 ans... Je souhaite aussi le partager avec mes enfants, ma famille et tous ceux qui ont croisé ma route.

Peut-être y trouveront-ils des réponses.

C'est un grand pas pour moi que de « sortir de l'ombre » et de « voir la lumière au bout du tunnel » après ce « travail » sur moi. C'est le travail d'une vie, mais je n'en demeure pas moins ravie du chemin que j'ai pris.

La première fois que je suis allée « en dedans », c'est il y a dix ans.

Juge à mes heures, je me suis moi-même inculpée de crimes contre ma personne :

- je me suis étouffée... avec mes peurs, ma peine, la colère;
- je me suis « tue » régulièrement, mais j'ai manqué mon coup pour ne pas être fusillée du regard ni allumer la mèche susceptible de déclencher une explosion,
- j'ai parfois volé... volé de mes propres ailes (mais ce n'est plus considéré comme un crime de nos jours).

Il faut parler aussi de mes auto-accusations, d'utilisation d'une fausse identité en faisant semblant d'être parfois quelqu'un que je ne suis pas pour être aimée... Rajoutez à cela, de la violence avec les mots.

Je me suis condamnée à une détention de 30 ans.

En entrant dans mes cellules, cela a d'abord été tout un choc.
Il y avait des trous ici et là, dans mon estime et mon amour de moi.
J'y ai trouvé aussi des « amies » : mes peurs que j'avais séquestrées. Elles m'attendaient !

Cela m'a tellement fait peur de me retrouver dans mon obscurité que j'ai pris la fuite.

Je me suis évadée dans le FAIRE :
- faire semblant;
- faire le ménage, la bouffe, le lavage;
- faire rire, faire plaisir;
- faire mon travail;
- faire des enfants;
- faire du sport... et j'en passe.

Je me suis perdue.
Épuisée, au bout de mes peines, j'ai retourné « larme » contre moi.
Cela n'a pas marché, il faut dire qu'un fusil à l'eau, ça n'a jamais tué personne.

Je n'ai pas réussi à me cacher de moi-même très longtemps.
Je me suis fait prendre par trois tendres costauds :
Jacques Salomé, Marcel Mailloux et Thérèse P. Mailloux.
Ils m'ont ramenée en dedans.
J'y ai fait mon temps.

Au début, c'était pire que les travaux forcés de me réhabiliter.
Pas facile de remplacer la culpabilité par la responsabilité !

Peu à peu, j'ai appris à récupérer le pouvoir sur ma vie, à restituer les violences reçues, à me positionner et ne plus me laisser définir.

Je ne purge plus ma peine. Je me suis « condamnée » cette fois à une sentence exemplaire pour les 60 prochaines années minimum :

ME DIRE ET ME VIVRE DANS MA VÉRITÉ, RIEN QUE LA VÉRITÉ,
TOUTE LA VÉRITÉ : JE LE JURE !

JE SUIS ENFIN LIBRE !

L'ex-détenu

À Marcel Mailloux.

Merci au gardien de l'amour que tu es.
Avec toute ma gratitude
et ma reconnaissance.

Il existe quelque part une prison.
Une prison où il fait noir,
où il n'y a que des soirs
et très peu d'espoir.

Il existe quelque part une prison.
C'est celle du cœur, érigée barreau par barreau,
autour de mes émotions,
à l'épreuve des évasions.

Habitée par mon enfance, mes souffrances,
j'y ai purgé ma peine,
pour tentative de meurtre
envers moi-même :
trop longtemps prisonnière de ma raison,
je me suis fait violence,
à grands coups de silence.

J'ai étouffé ma colère,
ma peine et les « je t'aime ».
Je me suis battue,
refusant de voir qui, réellement, je suis.

Tout a commencé lorsque la vie
a voulu me faire voir ma vulnérabilité.
Je me suis alors battue de tout mon être,
pour ne pas tomber.
Autant que j'ai pu, j'ai résisté
afin de ne pas être tout ce que j'avais tant jugé,
qui pourtant me miroitait la vérité d'un moi caché, étouffé.

J'ai été l'avocate experte en plaidoyer,
la juge qui sentence,
et me voilà aujourd'hui sur le banc des accusés,
reconnaissant ma responsabilité.
Je demande le pardon, je demande ma liberté...

Et c'est aussi auprès de toi, Marcel,
que j'ai trouvé la clé qui déverrouille
la porte de cette prison,
aujourd'hui ma demeure, ma maison
ce havre de paix où cohabitent amour et liberté,
où, enfin, se réalise mon plus grand souhait.

L'acquittée heureuse.

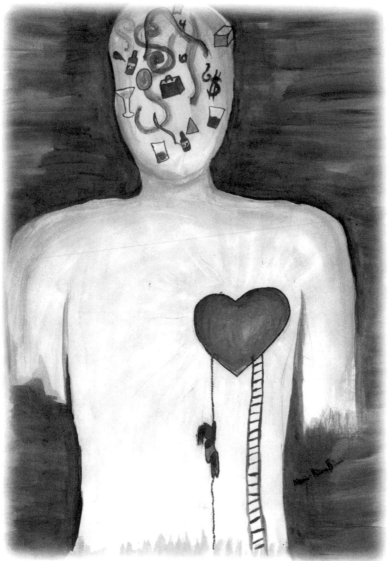

« Pars donc ! »

A tous ceux qui ont « soif » d'amour, afin qu'ils arrivent à se pardonner à eux-mêmes. J'en fais partie.

Je « t'ai-cris » aujourd'hui ce que je ne t'ai jamais crié :
Ne pars pas !
J'ai besoin de toi !
Reste ! Tu es important pour moi !
Ne t'en vas surtout pas, c'est si bon quand tu es là...
Permets-moi d'être petite, encore...jusqu'à ce que je sois grande.

Sois le rocher sur lequel je pourrai me reposer.
Sois cette berceuse du soir qui me transporte au pays des rêves où je dormirai à poings fermés.

N'entends-tu pas mes cris?
Comment le pourrais-tu, quand tout se passe à l'intérieur de moi?
Je ne te l'ai jamais dit, j'étais trop occupée à te juger, à t'en vouloir de m'abandonner.

Je murmurais entre mes dents : Pars-donc !... travailler comme un bon... pars étancher ta soif... boire comme un trou... peut-être qu'à force d'ingurgiter toute cette boisson, tu finiras par voir le fond et remplir ton vide !
Pars donc, qu'on en finisse... décrisse !
Mais... reste! j'ai besoin de toi, papa !

Peut-être qu'on y arrivera un jour à se démontrer de l'amour.

Toutes ces années à livrer ce dur combat, à me battre avec moi, à fuir l'amour,
à m'en vouloir de me laisser faire... à m'abandonner moi-même...
Cette éternelle bataille à ne pas vouloir être comme toi,
Je jette l'éponge, papa.

JE SUIS AUSSI CE QU J'AI HAÏ DE TOI... J'AI LA MÊME SOIF... INALTÉRABLE:
LA SOIF D'AMOUR.

J'entends maintenant mon cri : PAR-DON !
À TOI,
À MOI, DE NE PAS AVOIR LAISSÉ PASSER L'AMOUR...
DE NE PAS AVOIR ENTENDU COMBIEN TU M'AIMAIS... À TA FAÇON...

Michelle Perreault

« DES- Ménage-ment »

Lorsque j'ai entrepris de faire un grand ménage dans ma vie, j'ai découvert un tel bordel que si j'avais pu, j'aurais déménagé.

Pendant un certain temps, j'ai eu l'impression que plus je bougeais les choses en mon for intérieur, plus j'étais à l'envers.

Maintenant que j'ai remis de l'ordre en moi, j'ai envie d'y revenir et d'y inviter ceux que j'aime.

En faisant le tour du propriétaire, comme à tous les 10 ans, j'ai constaté que j'avais laissé ma maison à l'abandon, remettant au lendemain, les travaux domestiques. J'étais du genre : « ménage-gère », la bonne à tout faire pour les autres... mais pas pour moi.

Derrière une belle façade, se cachait un vrai fouillis, un intérieur trop longtemps négligé. Il m'était insupportable d'y rester. De toute évidence, je m'étais ménagée, mentie, peu « désir-heureuse de « rester collée » à ce qui n'allait pas chez-moi.

J'ai cherché à fuir cette réalité par « des-ménagements », mais rien à faire.

À chaque fois que j'ouvrais la porte, m'attendait patiemment ce que j'avais laissé derrière. Par le fait même, aucun acheteur et fort peu de visiteurs se présentaient.

Poussiéreuse (pas si heureuse non plus!), en « des- ordres », tout à l'envers, je n'y voyais là rien d'invitant. J'ai tenté d'aller voir ailleurs si j'y étais : mon mal d'être, persévérant, me suivait à la trace. J'ai compris alors qu'il ne me restait d'autre solution que de nettoyer ma crasse.

Comme je ne pouvais plus me sentir, j'ai débuté les travaux en m'aérant l'esprit... C'est toujours souhaitable pour mieux y voir d'ouvrir les rideaux et les fenêtres et laisser entrer l'air frais et la lumière.

Retroussant mes manches, j'ai ensuite mis au chemin tout ce qui n'était plus bon pour moi et que j'avais accumulé depuis tant d'années. J'ai alors remis à leurs propriétaires ce que j'avais pris et qui ne m'appartenait pas : « par ces objets symboliques, je remets la violence que vous avez déposée chez-moi par vos paroles et vos gestes.» Avec patience et beaucoup d'amour, j'ai également repris les bouts de moi que j'avais laissé à gauche et à droite, comme si je reprenais le pouvoir sur ma vie, petit à petit .

J'ai conservé, rangé, soigneusement, mes plus beaux souvenirs dans un grand coffre aux trésors. Je me suis départie des vieilleries encombrantes, les introjections qui m'habitaient, pour ne garder que l'essentiel ainsi que tout ce qui avait de la valeur pour moi.

Il fait maintenant bon rentrer à la maison où j'aime me retrouver en bonne compagnie : la mienne. Nombreux sont ceux qui prennent plaisir à me rendre visite. Je ne suis plus à vendre ni à acheter... j'ai fini, d'hypothéquer ma vie!

Depuis que j'entretiens minutieusement, quotidiennement mon « chez-moi », un amoureux est venu frapper à ma porte. Je l'ai invité à entrer : il y est encore. Nous faisons ensemble très bon ménage. Avec le temps, nous avons fondé une famille.

Y cohabitent l'amour, la paix, l'harmonie et un profond respect. C'est ce qu'on appelle : une unie-familiale.

Le mal masqué

Je tiens à témoigner, par ce texte, ma reconnaissance à Thérèse et à Micheline. Pour m'avoir permis, à travers leur enseignement, de me regarder en face dans leur miroir, découvrant mon vrai visage.

Merci de m'avoir inspirée une telle confiance, que j'ai eu envie de me créer à partir de mes blessures, de laisser tomber les masques.

***

Serais-tu un des personnages au visage de carton qui, comme moi, participe à la grande mascarade?

Nous sommes plusieurs à masquer notre vraie identité, à « ce défilé », à s'être peint un faux visage, espérant cacher notre vérité profonde.

Peut-être as-tu, toi aussi, simplement voulu te protéger pour ne pas souffrir ?

Quel masque porteras-tu ce soir, au « mal masqué » ?

Celui du lièvre?... le FUYANT aux aguets, méfiant, ambivalent qui a de la difficulté à donner son opinion ?

Celui du bébé kangourou ?... le DÉPENDANT qui a manqué de communication affective avec ses parents, ayant tellement besoin de présence, de support, d'aide et d'approbation...celui qui accepte difficilement un « non » et qui tremble à l'idée de se retrouver seul ?

Peut-être seras-tu déguisé en chimpanzé ?... le MASOCHISTE qui se cogne sur la tête pour se faire mal ou se punir... celui qui est souvent porté à se blâmer, qui en fait beaucoup pour être aimé, qui ne pose pas assez ses limites...

Celui qui s'occupe plus des poux des autres que des siens et de ses besoins. Ce mammifère hypersensible au regard des autres, ayant une grande capacité à faire rire, enclin à la culpabilité ,qui a si peur de sa liberté, surtout dans la « jungle » !

Ou encore, seras-tu costumé en Caliméro... le petit poussin noir soumis, qui trouve que « c'est trop injuste ! », coiffé d'une coquille d'œuf RIGIDE pour se protéger de la froideur et du jugement?

Il aurait les particularités de se sentir régulièrement « pas correcte », de demander peu d'aide, ainsi que d'avoir de la difficulté à recevoir : est-ce toi ?

Sinon, revêtiras-tu le pelage du chien berger ? ...le CONTRÔLANT convaincu d'avoir raison, qui a besoin de plaire... ?
Il montre peu sa vulnérabilité,
Cherche à être quelqu'un de spécial.
Il pourrait être prêt à se trahir lui-même pour être aimé, reconnu, surtout de son maître. Malgré tout, pitou aboie lorsqu'il a peur....peur de la séparation, peur du reniement...peur de la dissociation de son troupeau de moutons.

Derrière ton masque, comment est-ce que je te reconnaîtrai ?
Comment je saurai si j'ai invité le bon cavalier pour danser ?
Et toi, lorsqu'à minuit je retirerai mon masque, que tu y verras mon vrai visage, prendras-tu tes jambes à ton cou ?

Je ne saurais passer ma vie derrière cet accoutrement...
Un jour ou l'autre, je ferai tomber mon masque pour enfin t'exprimer ma vérité profonde, découvrant mes blessures... parfois cicatrisées mais aussi tellement sensibles... en te révélant courageusement mes manques et mes besoins.

Et si on le faisait ensemble ?

Aux 12 coups de minuit, se sentant plus en confiance après cette invitante confidence, plusieurs se libèrent de cette façade qui les avait jusqu'alors bien servie, mais qui aujourd'hui leur nuisait.

Les maux firent place aux mots...

Le lièvre, le FUYANT, nous dévoila son vrai visage... celui du REJET.
Cette blessure ancienne avait affectée sa vue... il se voyait comme nul.

Le DÉPENDANT bébé kangourou, quand à lui, renchérit en mettant à nu son visage de L'ABANDON... Il n'en avait jamais parlé, mais à l'arrivée du deuxième enfant, il s'était senti délaissé.
Sa maman lui manquait terriblement.

Puis, ce fut au tour du chimpanzé, le MASOCHISTE, qui ayant tellement fait rire de lui, en plus d'être victime de nombreuses comparaisons, s'était senti abaissé.
Ce qui a eu pour effet, de laisser sur son visage des marques... celles de l'HUMILIATION.

Caliméro, le petit poussin noir, ne tarda pas à se faire entendre.
Sous sa coquille de RIGIDITÉ, nous étions tous stupéfaits de découvrir une blessure d'INJUSTICE... En réalité, derrière sa carapace de personne forte, perfectionniste, capable ! ...s'abritait un être qui ne se sentait pas apprécié dans sa vraie valeur.

Finalement, le dernier et non le moindre, le chien berger « lâcha le morceau » ...sous son air CONTRÔLANT, sa « plaie » à lui, était, étonnamment : la TRAHISON! Il s'était trahi lui-même à tenter d'être quelqu'un d'autre pour ne pas décevoir ses parents qui auraient tant voulu une fille!

Maintenant qu'ils avaient osé se montrer tels qu'ils étaient, même avec leurs blessures et leurs « cica- TRISTES », ils ressentirent une sensation jusque là rarement éprouvée : TRES LIBRES ...LIBRES DE SE MANIFESTER... DE SE CRÉER, À PARTIR DE LEURS SOUFFRANCES ET DE LEURS DIFFÉRENCES.

Marie-Pierre Biron

« Saoul-venir » d'enfance

Et si l'ex-petite fille devenue femme te racontait, papa ?

Déjà dans mes premiers mois de vie, mon sourire, mon regard et
mes gazouillis en disaient long : « prends-moi, papa!!! »
Je suis si bien, lovée dans tes bras!
Ta force, ton amour, me sécurisent.
Je vois de la fierté dans tes yeux,
j'entends tout bas qu'il ne m'arrivera rien , tant que tu seras là.
« Dis-moi, mon roi, c'est bien moi ta princesse? »
Peut-être ne m'entends-tu pas ,car les bébés, ça ne parle pas.

Je m'ennuie parfois de toi, papa. « Où il est mon papa? »
Du haut de mes deux ans : « PARTI!!! »
Je me demande s'il reviendra?
« Dis, papa, mon héros, viens-tu jouer avec moi? »

Le temps file, j'ai déjà quatre ans.
Je suis grande!!!
« Plus tard, je marierai un homme comme toi!!!
Mais qu'est-ce que tu as papa, tu vomis??? »
Il y a tant de questions qui se bousculent dans ma tête :
« Tu es malade? »
Tu as trop mangé de mets chinois? »
Maman pense plutôt que tu as trop bu!

« Dis papa, c'est qui M. Labrosse ?

Ça veut dire quoi être sur la brosse ? »

Virer une brosse, je pense que c'est quand tu arrives très tard, longtemps après que je me sois endormie, que tu te lèves le matin, fatigué, que tu sens la bière et que tu as les cheveux tout dépeignés.

Ça doit être comme se battre avec la peine... euh... le peigne! Mais avec la brosse à la place.

Je suis pas certaine d'avoir bien compris.

« Mon pauvre petit papa!... t'es malade?

Ne t'en fais pas... ta petite fille est là.

Dis, papa, prendre un coup ...est-ce que ça fait mal ? »

C'est mon anniversaire.

Quand vas-tu arriver?

Qu'est-ce qui a bien pu te retenir et t'empêcher d'être près de moi?

Mais qu'est-ce qui pourrait donc être plus important que moi?

Je t'en veux de ne pas avoir été là.

Je te boude,

mais j'te laisserai pas tomber.

Je vais être fine, intelligente, je vais te donner le goût d'être plus souvent à la maison.

« Dis, papa, c'est toi cet homme mal rasé, défraîchi,

qui sent le fond de tonne et qui s'est endormi sur le tapis? »

Je suis en colère!!!

Malgré les petits mots que je t'écris, mes silences qui en disent long, mes sermons, rien à faire : elle sera toujours mon ennemi, cette bière!!!

Pourquoi, mon héros, n'arrives-tu pas à la vaincre???

Elle te rend malade, elle t'enlaidit, te détruit, te tue à petit feu. J'ai tellement peur que tu en meures que je me battrai à ta place. Lorsque j'arriverai à comprendre ce qui te pousse à boire, je pourrai te sauver, te guérir.

« Dis, papa, si tu ne sais pas prendre soin de toi, qui prendra soin de moi comme papa? »

Je vois aussi que tu travailles fort pour que je ne manque de rien : c'est toi qui me manques, papa tu n'es pas rien!!!

Ne pleure pas, je ne veux pas te faire de la peine, je veux seulement que tu m'entendes dans la mienne.
Je te juge tellement fort que je me sens responsable de tes remords.
Je te crois, tu sais, lorsque tu me promets de ne plus recommencer.
Je te pardonne!!!
Jusqu'à la prochaine fois...

J'ai mal au cœur à force de voyager du héros au zéro.
Je ne te crois plus... trop de promesses non tenues... d'attentes interminables, d'espoirs déçus...
Je baisse les bras. Moi, je ne serai jamais comme toi!!!
Je n'ai pas réussi à te changer ni à te sauver : c'est ta vie après tout!!!

L'adolescence m'interpelle.
J'ai ma vie à vivre.
La seule chose dont je suis certaine, c'est que lorsque j'aurai un amoureux, il aura intérêt à ne pas boire d'alcool, ni se droguer, ni fumer, tenir ses promesses et ses engagements, ne pas me faire attendre, être présent, mériter ma confiance.
À part ça, être comme toi : un homme de cœur, drôle, intelligent, beau, fier, courageux, vrai, honnête, sociable, spontané, intense, débrouillard, ambitieux,

travaillant, tenace, généreux et passionné...

« Dis, papa, comment je vais faire pour trouver un homme qui soit comme toi et ne soit pas comme toi tout à la fois? »

Je suis une adulte

Je me suis mariée, j'ai eu deux merveilleuses filles et je ne suis toujours pas heureuse.

Toujours ce vide : je divorce!

Je me sens comme une passoire, papa, tellement j'ai des trous dans le cœur.

Même l'amour passe tout droit.

Je me suis perdue.

Je dois me retrouver et surtout trouver l'amour.

Je vais de déceptions en déceptions, papa.

Je n'arrive pas à m'engager, à me laisser aimer d'un homme et à bien l'aimer.

J'ai mal en dedans, je souffre.

Je t'ai jugé et je me juge tout autant.

Est-ce possible que je te ressemble? J' étais si convaincue de ne pas être comme toi!

Je suis ton miroir, et toi le mien.

Plus j'essaie de fuir cette vérité, plus vite elle me poursuit.

Je sais maintenant que je dois prendre soin de cette vieille blessure que j'ai tenté d'ignorer et qui pourtant n'a cessé de s'étendre, comme le sang qui coule à travers mes veines.

J'étais tellement occupée à vouloir faire pour toi, te sauver de tes souffrances, que j'ai oublié de te parler de mes désirs, mes besoins, mes rêves, ma peine, mon manque de papa, mon amour pour toi.

J'étais si occupée à vouloir faire pour toi, que j'ai souvent oublié d'être une petite fille qui s'émerveille devant tous les possibles, tous les cadeaux de la vie.

« Dis, papa, savais-tu que cela s'apprend? »
Je suis fière de t'annoncer que depuis quelques années, je suis inscrite à
l'UNIVERS CITÉ de la vie.
Sur ma route, j'ai rencontré des gens remplis de sagesse et d'amour qui m'ont
appris à me responsabiliser,
m'accepter,
m'accueillir,
m'engager,
poser mes limites et ne plus accepter l'inacceptable,
aimer et me laisser aimer... recevoir... me créer à partir de mes blessures.
L'amour que j'ai tant cherché d'un homme, je l'avais en moi.

Je suis sur la voie de guérison, papa.

Je choisis, aujourd'hui, d'accepter qui tu es,
de t'accueillir dans tes souffrances, mais aussi dans tes limites et ton meilleur.
Je demande à l'Univers de t'envelopper de lumière, d'amour et de douceur tout en
guidant tes pas vers le meilleur pour toi, papa.

« Dis, papa, veux-tu encore être mon papa tel que tu es et m'accepter moi, ta
fille, telle que je suis ?
Pas besoin d'être un héros, seulement un bel humain qui me tend la main, un
papa que personne ne pourra remplacer dans mon cœur, ni aujourd'hui, ni
demain. »

Avec tout mon amour,
ta petite fille devenue femme

Le trou

À Serge.

Merci de ton reflet qui m'aura permis de me voir dans la culpabilisation.
Le droit à l'erreur et la responsabilisation m'ont rendu ma liberté.
Je vois maintenant la vie plus en couleurs.

J'ai longtemps pensé que rien ne pouvait être pire que la prison, celle que j'avais érigée, barreau par barreau, autour de mes émotions.

Jusqu'à ce que je m'inflige un châtiment plus grand : m'envoyer au trou, à l'eau et au pain sec, sans amis, sans amour, sans lueur d'un lendemain meilleur.

Me voilà bourreau et victime tout à la fois, enchaîné dans mon cachot de mots qui me disqualifient et me torturent. Trou noir de solitude, d'autopunition, de culpabilisation, où je m'enferme dans la honte d'avoir manqué d'amour et de pardon.

« Meurtri-hier », je me refuse le droit à l'erreur. Peine maximale.

Incapable de me rendre justice, je me condamne à payer de ma liberté, en me cadenassant dans le gouffre où se cache toute ma peur qui me tord le cœur, ma « tord-peur. »

Cette peur d'être vu dans ma vulnérabilité m'a conduit directement à la potence, tellement je me suis pendu au regard de l'autre.

Comme je me suis perdu!!!

Criblé de mal, je retourne « larme » contre moi.

Alors, que je m'apprêtais à mettre fin à mes jours de noirceur, mon ange Marcello apparaît dans mon « en-faire ».

Mon gardien de l'amour me regarde par la fenêtre minuscule.

Il s'approche et murmure : « Donne-toi une autre chance mon ami ! Ne sois pas si dur avec toi!

Savais-tu que les lois ont changé, qu'il en existe une nouvelle qui s'appelle RESPONSABILITÉ plutôt que CULPABILITÉ?

Si tu le veux très fort, une bonne conduite envers toi-même peut te libérer à condition de : t'accueillir;

t'accepter;

te prendre en douceur;

te récupérer,

t'aimer dans ce que tu « hais ».

C'est à toi d'ouvrir la porte qui sépare les nuits blanches des beaux dimanches. »

C'est à ce présent de l'instant que j'ai choisi la LIBERTÉ D'ÊTRE au lieu du « con-damné. »

Je suis depuis en probation : « L'AP-PROBATION DE MOI-MÊME ».

Quel délice d'être mon propre complice!

Je ne suis plus le même : je m'aime!

Le seul crime dont je n'arriverai jamais à me corriger c'est de voler : VOLER DE MES AILES TEL UN GOÉLAND QUI A APPRIS À DANSER AVEC LE GRAND GÉANT, LE VENT. MON AMI, SOUFFLE DE VIE.

Véronique Laliberté

Le piège

À ceux qui, comme moi, sont parfois tombés dans le piège.

Lors d'une promenade en forêt, je me bute un jour à un obstacle qui m'apparaît insurmontable : une gigantesque pierre, froide, dure, dominante et indifférente. Est-ce vraiment une pierre? N'est-ce pas plutôt une montagne, une gigantesque montagne?

Mon sang ne fait qu'un tour dans mes veines. Les oiseaux cessent de chanter, la terre de tourner. Même le vent se fait discret : tous sur nos gardes face à ce géant dormant, bien planté, arrogant.

J'ai envie de rebrousser chemin, mais je n'en fais rien. J'ai jadis fait le serment que plus rien ne me barrerait le chemin. Je me battrai s'il le faut! Pas question de me replier !

Armée de courage, d'une brique et d'un fanal, j'attaque l'imposant rocher. Je lui rentre dedans ! Une fois, deux fois, trente fois, cent fois !!!

Rien à faire... il ne bouge pas d'un millimètre. Et ceux qui disent que la « fois » déplace des montagnes : cent fois plutôt qu'une!

J'ai beau m'obstiner, en vouloir à ce roc de se mettre au travers de ma route, chercher à comprendre, l'engueuler, sacrer, le frapper avec mes pieds, le pousser, il reste de marbre. Je ne peux rien contre lui, surtout pas le changer, ni le tasser.

Poids plume, je ne suis ni à la hauteur, ni à la taille de ce Sumo de pierre qui, à coups de grosse bedaine, me renvoie à moi-même.

Mes élans ne réussissent qu'à briser mon armure, à m'écorcher vif. Je viens de frapper tout un mur! À bout de résistance, je m'effondre en larmes. Oh! Comme je suis épuisée, impuissante devant ce que je ne peux changer, En colère aussi!!!

Je suis tombée dans le piège de vouloir éliminer les obstacles de ma route, leur rentrer dedans, les tasser de mon chemin au lieu de FAIRE AVEC, ENTENDRE CE QU'ILS VIENNENT M'ENSEIGNER, ET SURTOUT ACCEPTER CE QUE JE NE PEUX CHANGER!!!

Cette révélation me semble un appel.

Habitée d'une force inconnue, je me surprends à escalader ma montagne, sans pourtant connaître les moindres rudiments de l'escalade. J'avance lentement, tout doucement, comme si je tentais de l'apprivoiser. En fait, je me demande qui apprivoise qui? À force de dépassement de moi, de détermination et de persévérance, je finis par atteindre le sommet.

Je découvre un panorama si splendide que j'en ai le souffle coupé ! Tant de possibilités s'offrent à moi ! Je contemple pendant des heures le spectacle qui m'est offert.

Mon chemin se dessine alors simplement. Guidée par ma petite voix intérieure, je retrouve ma voie. Il est temps pour moi de redescendre et de poursuivre ma route.

Curieusement, comme par enchantement, la montagne avait disparue. Avait-elle été le fruit de mon imagination?

Quoi qu'il en soit, j'ai retenu ceci : LE PLUS IMPORTANT, CE NE SONT PAS LES OBSTACLES QUI SE PRÉSENTENT DANS MA VIE, MAIS BIEN CE QUE J'EN FAIS!

Cette expérience a fait de moi une personne plus forte, plus à l'écoute de sa petite voix intérieure, de ses émotions également. Et si cette montagne n'était, en réalité que mon reflet d'hier : dur, froid, dominant, indifférent ?

La vie m'aura fait le plus beau des cadeaux : briser mon cœur de pierre afin de mettre à jour ma richesse, ma sensibilité, ma douceur. J'ai vaincu, enfin! la « monte-hargne ». Heureuse je me proclame maintenant « REINE DE LA MONTAGNE ».

Louis Lefebvre

Je t'aime, nature

Pour Annie, mon miroir, qui renonce à la perfection pour viser l'excellence et le plaisir.

Pour elle, ainsi que pour tous ceux qui ont le courage d'oser se vivre de façon authentique, responsable et ÊTRE ce qu'ils sont vraiment.

J'ai aperçu dans ton regard une lueur d'orage qui s'annonce à l'horizon,
J'ai entendu au loin, dans ta voix, le tonnerre!
En un éclair, tu as libéré ta colère avec fracas, mais ne t'en veux pas.
J'y ai vu ta vraie nature et ça me rassure.

J'ai vu perler tes larmes telle la pluie qui cherche, à travers les rivières, le chemin des lacs de peine,
soulageant les nuages gris d'un trop plein de silences et d'ennui,
purifiant les « terres » (taire) de haine et d'amours déçus, à travers des forêts de « je t'aime ». J'y ai vu ta vraie nature et... ça me rassure.

J'ai admiré la puissance de tes racines,
troublant la dureté du rocher,
ta foi, déplaçant des montagnes,
ton courage, dans les rapides... du destin
ton vent, dans les voiles.
ta confiance en de meilleurs lendemains... tel l'oiseau qui égaie nos chagrins.

J'y ai vu ta vraie nature et... ça me rassure.

Je suis éblouie par ton regard étoilé qui a survécu dans la tempête.
Le beau temps est de retour, le soleil qui t'habite a chassé les jours sombres à grands coups d'amour, faisant place au tendre bleu des jours heureux.
Cette haute merveille ronde qui rythme la vie, de sa chaleur, a fait refleurir ton cœur .
Tes cascades de rires,
L'arc-en-ciel de tes émotions, au bout de ta peine,
Le calme du lac qui révèle le miroir d'un moi profond,
L'intensité des « Ô-rages » qui proclament haut et fort ton existence,
Voilà, ton héritage de la nature.
Toi, si vrai... si intègre... si transparent... si intense... si authentique... si nature...

En étant toi, tout toi, tu m'as invité à ma vérité.
J'y ai vu ma vraie nature et... ça me rassure.
Comme je me sens mieux dans la NATURE !
Je t'aime, nature.

Le numéro

Cela m'a parfois coûté cher d'être moi... toute moi... et de l'assumer.

J'ai « subtilement » perdu deux fois mon emploi j'ai alors été plus en réaction qu'en relation. J'ai vécu cela comme un rejet. J'en étais même venue à douter de moi et de mes compétences.

Il m'était difficile d'assumer que j'étais un déclencheur, de prendre ce qui m'appartenait et de leur laisser ce qui ne m'appartenait pas, de dissocier ma responsabilité de la leur. Cela a été la dure école.

Toutefois, avec le recul, je réalise que derrière ces épreuves se cachaient un cadeau : quelque chose de mieux m'attendait. En plus, j'ai été promue à la « grande école », celle de la vie, là, où les masques tombent, là, où il y a tout à gagner, plus rien à perdre... à être soi.

Les 100 pas.
Les 1001 nuits blanches.
Le cauchemar qui me réveille la nuit,
La colère qui me démange,
La peur qui me retient.
Visages à deux faces cachés derrière des masques.
D'innombrables non dits,
Aucune trace d'existence de quelque relation de confiance,
Méfiance,
Pauvreté de mots qui riment avec reconnaissance,

Passer sous silence,
Relations utili-« taire »
Froideur qui glace le cœur,
Indifférence,
Médisance,
Remontrances,
Contrôle,
Humiliation,
Manque de considération,
Impuissance.

Touchée!
Coulée!
Une torpille en plein cœur.
Le capitaine rend froidement sa décision : par dessus bord matelot !
Il y en a un de trop !

Je suis « à mer ».
J'avale quelques gorgées d'eau.
J'étouffe mes sanglots.
Mon boulot, à l'eau !, sans que je n'aie pu placer un mot.
Je me sens comme un numéro : un gros 0.
Dernier arrivé, premier sorti !
Par ici la sortie !

Pourtant il y a peu, c'était le calme plat. Et voilà que le vent a tourné subitement,
j'ai été jugée, condamnée sans même avoir été entendue.
C'est à n'y rien « con-prendre » où plutôt, c'est me prendre pour un con et me
traiter comme si je n'étais rien.
Mille millions de sabords ! Et... autant de remords...
Je m'en veux à mort d'avoir laissé mon pouvoir,

De m'être laissée menée en bateau.

J'y ai crû et pourtant me voilà sur mon radeau « d'infortune » à chercher quelles ont été mes lacunes.

Il me reste au moins quelques provisions d'amour de moi pour me respecter et ne pas partir, sans oser me dire.

J'commence déjà à aller mieux!

Non, mais! Qui a dit qu'ils avaient le droit de noyer le poisson dans l'eau, sans dire un mot!

Après avoir flotté quelque temps sans trop savoir quelle direction prendre, une lueur d'espoir, tel le phare dans la nuit, se dressa à l'horizon.

Un grand bateau de croisières, sur lequel j'ai eu droit à une place de choix, m'a repêchée.

C'est ce qui arrive, quand on se mouille!

N'est-ce pas exaltant ?

Cette place, je l'ai prise tout en me donnant le droit d'être entièrement   MOI!

Michelle Perreault

La ferme

Je me suis amusée à imaginer ce qui pourrait arriver si on se la fermait trop longtemps. L'animal apeuré et blessé qui nous habite niant son mal (l'A-NIE-MAL), on deviendrait bêtes et méchants et cela, nous les humains, nous le faisons très mal.

Communiquer, oser se dire, être en relation de façon authentique, parler de soi à l'autre, non pas sur l'autre : voilà autant des défis quotidiens du couple qui souhaite vieillir ensemble.
« Oui, je le veux! »

Béatrice Thérien et Roger Bontemps s'épousèrent il y a de cela 40 ans. Ils s'achetèrent une ferme avec leurs économies. Ils en rêvaient déjà tout enfants.

Ils s'aimèrent passionnément, tendrement, fiévreusement, jusqu'à ce qu'ils n'en aient plus le temps : huit petites bouches à nourrir (sept filles, un gars) vingt-cinq vaches, un taureau, cinq veaux nés au printemps, quinze cochons, dix moutons, deux chèvres, un chien, trente poules, une chatte, six chattons, un étalon, une jument...

Et pourtant...

Chaque jour ils travaillaient à la sueur de leur front, tenaillés par la peur de manquer de foin.

Ayant vécu la pauvreté de la naissance à la puberté, ils s'étaient jurés, jeunes mariés, que leur progéniture ne manquerait ni de nourriture ni de rien. Ce qu'ils réussirent fort bien!

Et pourtant...

Aujourd'hui, il y a 8 bouches de moins à nourrir, le petit dernier ayant quitté le nid. Roger Bontemps se dit en lui-même : « Pourquoi continuer de se faire mourir et ne pas prendre le temps de vivre? » Il fait alors ce qu'il s'était toujours interdit : il « s'évache » devant le téléviseur, des heures durant. Béatrice souffre alors d'injustice et d'abandon, seule soudain pour voir aux vaches, aux poules et aux cochons.

Elle lui lance des regards qui en disent long. Roger, bien installé dans le salon, fait semblant de faire un petit roupillon.

Elle rage en dedans, refoule ce qu'elle brûle de lui dire depuis tant d'années: insultes, ressentiment, jugements ,déceptions.

B.A ravale son indignation et tient bon, au nom de sa religion.

Et pourtant...

À force de silences, d'abstinence et de souffrance, « Béatriste » frôle la démence. Un jour qu'elle revient de lever les œufs du poulailler, quelque chose en elle se déraille, il lui prend l'envie de « picosser » son Roger question de le secouer un peu et de le faire réagir : « Regarde mon « niais-œufs ! »

Cela lui a échappé !

Qu'à cela ne tienne ! Sa langue est hors de contrôle et pique sa proie, Roger Bontemps, crachant tout son venin.

« Roger Bontemps!, t'es juste une poule mouillée qui rumine comme une VACHE depuis des semaines à je ne sais quoi ! Tu ne me parles plus... Est-ce que le chat t'aurait mangé la langue ? »

Voyant qu'il semble bien déterminé à garder le silence, elle revient à la charge : « Tu n'es qu'un entêté... une vraie tête de MÛLE !!! »

Cette fois, Roger l'écoute vraiment, avec son cœur.
Il retrouve celle à qui il avait jadis fait la cour... plus belle encore. Son cœur ne fait que trois tours.

Roger Bontemps, sans trop savoir ce qui lui prend tout à coup, la serre dans ses bras, la berce tendrement. Il l'a entendu.

Encore plus surprenant, il se livre, ou plutôt se DÉLIVRE, à son tour.

Comme c'est bon d'être en relation, véritablement, sans faire semblant, pouvoir se dire, se VIVRE, LIBREMENT, sans la peur de perdre.

Ils s'étaient déjà perdus eux-mêmes.

Il ne leur restait plus maintenant QU'À SE RETROUVER !

Au fil des jours, ils apprennent à communiquer, à prendre soin quotidiennement de leur nouvelle relation.

Amour, fidélité, engagement envers soi et envers l'autre les animent.

Maintenant Béa se dit et « SOURIS ».
Roger Bontemps aussi!.
« Chat » va beaucoup mieux entre eux, surtout depuis que Roger a cessé de faire le MOUTON, qu'il pratique l'affirmation.

Et maintenant...

Ils ont vendu « La Ferme! »
C'est si beau de les voir se payer du « BONTEMPS, ENSEMBLE! »

La guerre des roses

Ce n'est pas toujours facile lorsqu'un déclencheur active les mécanismes de défense et que la guerre éclate, réveillant souvent une blessure ancienne. Surtout dans le couple !

Il faut savoir s'armer d'amour, d'accueil, de persévérance et s'engager.
Tout un défi de rétablir la communication et de faire les premiers pas, avec la peur de perdre qui me tiraille.

Mieux vaut en rire!

Armée d'une rose et d'un drapeau blanc, je dépose les armes.
Je te déclare la paix.
Je n'ai plus ni défense ni munitions.
Je me rends!
Je suis de guerre lasse.
Je m'avoue vaincue de toutes les guerres, de la guerre froide à la guerre psychologique, en passant par la guerre des nerfs, tous ces conflits qui blessent et tuent l'amour : lente torture.

Quelle épreuve de force quand je retire mon bâillon et que je m'amène avec mes besoins, mes limites, mes déceptions, mes émotions... J'ai alors cette sensation d'aller au front! Peut-être as-tu la même impression ?

Parfois impassible comme le soldat pendant l'inspection, parfois explosif comme le baril de poudre en présence de l'étincelle sautant bruyamment, tu « éteins-celle » qui tente de faire fondre ton armure, cherchant à toucher l'homme sensible qui se camoufle derrière son équipement de combat.

Mais avec qui te bats-tu au juste? Avec toi? Moi? Ta sensibilité?
Je suis fatiguée de me battre et d'avoir peur des éclats d'obus.
Je n'ai ni tactiques, ni stratégies.
Je suis ton alliée... pas ton ennemie!
Je ne veux pas te blesser... seulement t'aimer et être aimée... sans déserter.
Je suis blessée par tes rafales de mots qui me brûlent en dedans, comme les balles d'une mitraillette dans la peau.
Tu peux baisser la garde et cesser le feu.

Faisons une trêve et reprenons les pourparlers, n'est-ce pas moins dangereux!

Je ne veux pas être une menace pour toi, ni te contraindre à te soumettre; je veux seulement ÊTRE. Être moi dans ma différence, à tes côtés, et vivre dans l'amour, la paix et l'harmonie.

Je veux me rapprocher de toi, t'entendre, t'accueillir dans ta différence et m'apprivoiser à ton intensité, sans te bombarder ou me replier.

Inutile de te blinder, je te propose qu'on se rende et d'évacuer les blessés.

J'ai envoyé mon « peloton de reconnaissance » avec pour mission de trouver la faille dans le mur pour m'infiltrer jusqu'à ton cœur.

La « guerre-hier » pacifique que je suis t'invite à la rejoindre dans son camp, là où l'on fait l'amour et non la guerre.

Si la vie vous intéresse... engagez-vous qu'ils disaient.
Soit mon « ami-sti »!

À mon commandement : Déposez, armes!
Repos!
Saluez!
Rompez les rangs !

Éloïse De la Chevrotière

Les explosifs !

Communiquer est tout un art, surtout lorsque je suis déclenché !

Les mécanismes de défense sortent alors les griffes et en peu de temps, ça devient explosif ! Apprendre à identifier ainsi qu'à libérer l'émotion et les besoins qui se cachent derrière mes mécanismes de défense, est l'outil précieux que j'ai découvert lors d'un « intensif de couple ». Je me suis vue aller dans mon fonctionnement.

Merci du fond du cœur à Marcel et Thérèse qui nous ont appris, à mon conjoint Marc et à moi, à se vivre de façon authentique dans notre relation.

Un faux pas,
un mot de trop,
un regard qui en dit long.

Une farce mal placée,
un « non ! »,
une gaffe,
une fausse question.

Un soupir,
une contrariété,
une interprétation.

Un rire,

un commentaire,

une présence,

une absence,

Un rien.

Il y a de ces jours sensibles où ....

ATTENTION!!!!!!!!!!!!!!!!! ÇA VA SAUTER !!!!!!!!!!!!!

BOUM!!!!

En une fraction de seconde, l'étincelle a mis le feu aux poudres du beau pétard à la mèche courte.

Il suffit de si peu de choses pour déclencher des réactions, parfois si brutales.
C'est ce qui arrive à Monsieur Baril quand Madame Laflamme l'allume un peu trop.

Il lui répond par la bouche de ses canons, bruyamment, fortement, pour se DÉFENDRE !
À grands coups de reproches, d'interprétation, de culpabilisation,
il contre-attaque.
Ce qui a vite fait d'éteindre la Madame !

Malencontreusement, elle s' aventure à le bombarder de questions.
Il est loin d'apprécié.
Se sentant attaqué, ne pouvant plus se contenir, il laisse se déchaîner sa colère, violemment.

Elle, elle ne s'en donne pas le droit; elle est plutôt du genre à retardement!

Sa réaction démesurée fait une telle peur à Mme Laflamme qu'elle appelle les pompiers pour éteindre le « feu quelque part » de Monsieur.

Elle n'en revient pas qu'il lui saute dans la face pour si peu !

Lorsque Monsieur Baril entend l'alarme des pompiers, il manque s'étouffer.
Il réussit à grand peine à se contenir lui-même, évitant de justesse que toute la maison y passe.

Conscient, soudainement, que les questions de sa conjointe ne sont, en fait, qu'un DÉCLENCHEUR, il se met à vider son baril de poudre et à se dire.
D'innombrables non-dits, des colères et des blessures anciennes y étaient accumulés.

Le plus surprenant dans tout cela, c'est que l'explosion aura permis à M. Baril, le beau pétard à la mèche courte, d'entendre ses ÉMOTIONS à travers la déflagration.
Elles lui ont parlé fort, parce qu'il les faisait taire depuis trop de temps.

Il partage alors à sa flamme sa honte, son sentiment d'infériorité, l'envahissement que ses questions et son attitude lui font vivre,
sa peur de perdre sa liberté aussi,
sa peur de la décevoir,
de la blesser,
sa peur du jugement,
sa peur de la perdre...
Il a tellement à dire.

Il a tellement de peurs jusque là inavouées.

Et elle, tellement besoin de l'entendre...

Il finit par toucher le fond du BARIL.
Il y trouve un message étonnamment bien conservé, sur lequel il y avait un plan de dessiné.
Un peu comme le plan des pirates menant au trésor.

Le chemin part du DÉCLENCHEUR;
il descend un peu plus bas au point b : LES MÉCANISMES DE DÉFENSE.

Si on poursuit sa quête de vérité et de trésors, on arrive au point c, les ÉMOTIONS. Celui qui réussit à vivre cette épreuve se mérite le trésor dont seule la clé, l'EXPRESSION DE SES BESOINS, peut ouvrir le coffre.
M. Baril est sur le point d'y accéder.

Certains se demandent quel est ce trésor ?

> *Mettre en commun la richesse qui habite chacun de nous, pouvoir communiquer, pouvoir vivre à deux, avec nos différences, dans le respect de soi et de son partenaire, tout en gardant LAFLAMME allumée, sans que le couple s'envole en fumée.*

M. Baril osa dévoiler ses besoins :

être aimé,
écouté,
accepté dans sa différence,
respecté,
reconnu.

Mais, également, il avait besoin de liberté, besoin de s'affirmer.

Mme Laflamme a envie de se rapprocher de Monsieur Baril.
Elle n'a plus peur de lui.

Je dirais même qu'en se mettant à nu, il a rallumé la flamme de sa femme.
Monsieur Baril n'est plus explosif : c'est de la vraie dynamite !
Plus dynamique que jamais!

Mme Laflamme l'allume encore, souvent, mais pour une toute autre raison.
Ça, c'est une autre histoire, pour les grands !

Guyane Beaulieu

Je suis une AAA :
Abstinente de l'Amour Anonyme

J'ai eu envie de célébrer l'amour.

Passant d'une relation à l'autre à une certaine période de ma vie, j'ai tenté d'étancher ma soif d'aimer et d'être aimée.

Aujourd'hui, après un long cheminement, j'ai trouvé l'amour :

l'amour de moi et d'un homme mordant dans la vie.

Il m'a donné le goût d'y croire, de m'engager, de vieillir à ses côtés.

À Marc

Je m'appelle _____.

Je suis une « AAA » : une abstinente de l'amour anonyme.

Je choisis de vivre l'amour une journée à la fois.

Je m'engage à vivre l'ivresse sans consommer les hommes.

J'en choisis un.

C'est TOI.

Je renonce aux lendemains de veille car j'apprends à jouir intensément du moment présent.

J'étanche ma soif d'aimer et d'être aimée avec sobriété, à jeun de souffrances.

Loin de moi la tentation de décoller.

Je désire, du plus profond de mon être, rester collée à mon essence ainsi qu'à tous mes sens.

Je veux, jusqu'à ce qu'on soit vieux, très vieux, me coller encore et encore tout contre toi.

Jadis, j'étais seule et triste comme une bouteille à la mer.
Aujourd'hui, je vois double : TOI ET MOI,
grisés d'amour, de rires, de complicité;
soûlés de tendresse et de caresses.
Trop longtemps, j'ai eu la gueule de bois, loin de moi... loin de toi.
Et voilà qu'aujourd'hui, j'arrête de boire.
J'arrête de boire tous ces vinaigres en paroles.
J'arrête de noyer ma peine et d'accepter les faux « je t'aime ».

Je n'en peux plus de tituber, de tomber.
Je me relève, je veux marcher tête droite, bien haute, sans hoquet ou haut le cœur au moindre signe de bonheur.
Je veux danser, chanter, fêter ma vie, m'en rappeler.

Je rêve de nos souvenirs qui me feront tourner la tête, telles des bulles de champagne.
Que ma rencontre à toi soit notre apéritif,
Mon engagement, mon amour, les aujourd'hui de demain, notre vin d'honneur.
Que nos souffrances, nos différences soient notre digestif.

A ce que je suis,
Ce que tu es,
Ce que nous sommes!

Puissions-nous encore, dans 25 ans, porter un toast à notre amour devenu JARDIN DE ROSES.

Isabelle Rivest

Berceuse pour un petit amour qui ne verra pas le jour

À la mémoire de ce petit être qui a partagé ma vie si peu de temps, mais dont le souvenir m'habitera à jamais.

Petit embryon qui n'aura jamais de nom.
Petit embryon qui a fait de mon ventre sa maison.
Petit embryon qui tient bon.
Petit embryon qui a choisi une maman qui dira non.

Je te sens là, courageux, s'accrochant à la vie, secoué par les tremblements de mon cœur qui pleure.

Et moi, ta maman, qui aurais tant voulu remplacer la rancœur par de la douceur.

Je te sens là, courageux, s'accrochant à la vie, ressentant pourtant la douleur jusque dans ton sang, sachant déjà que tu ne verras jamais le firmament.

Et moi, ta maman, qui aurais tant voulu te bercer tendrement, t'endormir en chantant.

Je ne te donnerai pas le jour, petit amour, car depuis un bon moment, c'est la nuit dans ma vie.

Je ne te donnerai pas le jour, petit amour,

Car il y a autant d'étoiles que de contre
Et autant de lunes que de pour.

Je ne sais pas comment j'aurais pu me choisir sans que tu aies à mourir, mais
sache combien, si j'avais pu, j'aurais aimé te connaître et te voir rire.

C'est ici que nos routes se séparent.
Ce fut un court voyage à tes côtés, mais
sache que toujours, dans mon cœur, je te porterai.

C'est ici que nos routes se séparent.
C'est le plus déchirant de tous les au revoir .

Puisses-tu un jour me pardonner de t'avoir rejeté, de t'avoir si peu aimé.
Puisses-tu être, au royaume des anges, cette lumière qui me guidera vers un peu
plus d'amour de moi.

Envole-toi !
Une vie meilleure t'attend, petit amour qui ne verra pas le jour...
mais la lumière de l'Univers!

Celle qui a été ta maman si peu de temps.

Sophie Bordeleau

Môman d'amour

À ma « môman », Denise !

Je réalise de l'intérieur, depuis que j'ai des enfants, à quel point tu t'es « donnée » pour nous.

Je veux te reconnaître : ta présence sécurisante, le don de toi, ta grande générosité, ta persévérance, ta détermination, ainsi que tous tes bons petits soins...

Cette histoire loufoque, c'est la mienne. Celle d'une « môman » qui apprend à s'occuper de la femme qu'elle est.

Je te souhaite des vacances bien méritées, à moi-aussi d'ailleurs !

Cet l'été.
Par une magnifique journée ensoleillée, une femme charmante (qui n'a pas encore connu les joies de la maternité), me dit de son plus beau sourire: « T'es en vacances ? » Elle se prélasse dans toute sa sveltesse, son élégance et sa naïveté devant un thé glacé.

Manquant m'étouffer, cernée, exténuée, je lui demande de répéter, souriant du mieux que je peux les dents serrées : Pardon?
En mon for intérieur, je me parle toute seule, souhaitant de tout mon être qu'il n'y ait pas de fuite.

Elle ne le sait pas encore, mais elle est l'étincelle qui vient d'allumer le baril de poudre, le compte à rebours est commencé, d'un « môman » à l'autre ça peut sauter !

Je ne peux pas lui faire ça... elle me connaît à peine... c'est juste qu'elle ne sait pas. C'est ce que ma petite voix me dit.

Mais il y en a une plus forte qui HURLE!!!, in contrôlable, qui s'apitoie, quelque part dans ma tête : « Des quoi??? Des vacances???
C'est quoi ça des vacances! Non mais!!! Avec quatre full-ados à la maison, à part leurs invités, un chum, une grand-maman en centre d'accueil qui a besoin d'amour et de soins, deux chiens, ça ressemble plus aux travaux forcés!!! Si c'est ça des vacances, j'aimerais mieux m'en passer !!!

C'est l'été L (les t)   :

- Tâches, Travaux ménagers toujours à recommencer, Taxi, Tondre la pelouse, Trente fois répéter, Téléphone qui n'arrête pas de sonner, Traiteur, Traîneries à ramasser, Train-train quotidien, Tendre l'oreille aux bonheurs et aux chagrins, Tendre la main lorsqu'ils en ont besoin, Trouver des idées repas-santé et appétissants afin de satisfaire ces perpétuels affamés (sans me ruiner!!!), Tempérer les taquins avant que les taloches m'effleurent l'idée, Téléviseur tout le temps allumé, Tentacules à la place des deux mains pour arriver à tout faire, tentant de prendre la fuite, « Téquila » pour me parler sur ce ton?, Tendue, Tendresse, Tenir le coup, Tenter le diable, les Testicules de mon chum souhaitent un rapprochement et s'ennuient, Thérapeute, Tiens!, Tigresse, Tintamarre et j'en ai marre!

Tirelire cassée, Tirer de la patte, Tenter de poser mes limites et conséquences (109 « oui » contre un « non » ...mais tout un!!!), tenter de me respecter, Toi, toi, toi!!! ...et MOI ???, Tolérance, Envie de leur Tordre le cou, Torchon à vaisselle au lieu de sous–vêtements de dentelle, Touchants les enfants quand ils dorment ou qu'ils m'appellent leur petite « môman » d'amour (quels moments?? Je n'en ai plus un seul moment à moi!! Et c'est ça, l'amour ?!)

Touche-à tout, Tourbillon dans la piscine, Tannant, Tourisme, Tourments, Tenter de les éduquer, de les élever Toute seule, Transparence, Toute-puissance infantile, Trêves, Tranquillité (oublie ça!), Tue-mouche (pour les insectes pas pour les enfants!!!), Trémolos, Troublée... Toute pleine de bonne volonté pour faire le bonheur de ceux que j'aime.

Totalement : MÔMAN!!!
Trop MÔMAN !!! JE SUIS MON PROPRE TYRAN!

C'était quoi déjà la question? Ah! oui... si j'étais en vacances..?

J'ai maintenant la réponse : « Non, madame... je ne m'en suis pas donné le droit. J'ai oublié que je suis aussi une femme qui aime sa famille, parfois plus qu'elle m'aime (elle-même).

Je crois difficilement que je mérite une place de reine mais je travaille là-dessus.
Je me suis demandée à moi-même d'être le valet, les autres sont rois.
Personne ne me demande d'en faire autant : c'est MOI!!!

C'était ma façon à moi de leur démontrer combien je les aimais et qu'ils étaient chers à mes yeux. J'en paye largement le prix!!!
Mais là, c'est fini !
Je veux être aimée pour ce que je suis, et non ce que je fais.
Il y aura probablement quelques rechutes, mais j'ai bien l'intention de passer à l'action, de prendre les moyens afin de transformer la « MÔMAN TANNÉE » EN « MÈRE VEILLEUSE! »

Dorénavant, les vacances n'auront plus le même sens. Voici ce qu'elles me disent, plus j'y pense (avant, ça ne me disait rien, des vacances!):

*V : veille maternellement sur toi, comme tu sais si bien le faire pour les autres
*A : apprends à t'aimer tendrement
*C : choisis-toi... tu as le droit
*A : amuse-toi
*N : n'accepte plus l'inacceptable, n'hésite pas à poser tes limites
*C : complicité
*E : extériorise ce que tu vis, tes peurs, tes désirs, tes besoins, tes émotions de façon responsable.
*S : sois toi, tout toi, simplement toi.

C'est l'été.
Ce n'est plus les T.
Par une magnifique journée ensoleillée, une femme tout à fait charmante (qui a déjà connue la maternité) me dit, de son plus beau sourire : « T'es en vacances?» de toute sa sveltesse?? (+ 20 livres!!!) ...son élégance et sa naïveté.

Et moi, de Me répondre en me prélassant devant un thé glacé :
MÈRE-VEILLEUSEMENT EN VACANCES!

Finalement, très sympathique, cette femme, puisqu'elle m'aura permis, bien malgré elle, de réaliser qu'ÉTÉ et VACANCES peuvent être synonymes de :

PLAISIR ET LIBERTÉ.

n.b finalement, elle et moi sommes devenues de très bonnes amies.
BON ÉTÉ.

Mon enfant ROI

À mes deux princesses, Marilie et Fanny, qui me font grandir et qui m'inspirent. À leur côté, j'apprends à me « couronner » de mes efforts, poser mes limites et me donner mon importance. Elles sont mes miroirs!

Sa Majesté, mon enfant,

Il m'arrive de jouer la carte de la dame de pique (à pic!), d'être en colère, impatiente et si peu indulgente avec toi.
Comme je peux être exigeante !

Peut-être crois-tu que je ne t'aime plus ou que je cherche à te détrôner ?
Rassure-toi. C'est à moi que j'en veux de t'avoir parfois mal aimé.
J'ai tout fait (j'étouffais) pour toi !

Depuis ta naissance, je t'ai couronné « Enfant roi » .
Il faut que je me rende à l'évidence : je t'ai privé de ta liberté et moi de la mienne.
J'ai bien peur d'avoir étouffé ta spontanéité, ta créativité, ta curiosité !

Si choyé, pris en charge, suivi pas à pas, devancé ! faisant tout pour toi, voulant te protéger, de tout ce qui pourrait te blesser, j'ai joué la carte du valet, je t'ai donné celle du roi.

Je t'ai nourri dans l'illusion de ta toute puissance infantile où tu n'avais qu'à claquer des doigts pour que je réponde à tes moindres besoins, voire à tes caprices!

Maintenant que tu as grandi, je réalise combien je ne t'ai pas rendu service.

Je vois en toi mon miroir, celui de mon insécurité, de mes propres désirs, mais aussi celui de mes peurs que j'ai déposées sur toi.

Ton attitude me reflète sans ménagement mon exigence envers moi-même ainsi qu'envers les autres.

Comme il t'est difficile d'attendre : « Tout, tout de suite, maintenant ! ! ! » Tout te semble acquis, un dû.

J'y suis pour quelque chose. J'ai peint ton château en rose et je me suis engagée à loyalement te servir.

Ce temps est révolu, la Cendrillon qui a habité dans mon grenier se réveille enfin, réclamant la place de reine qui lui revient.

Le vie en rose, j'y ai droit aussi.
Je renonce au rôle d'esclave que je m'étais attribué.
La reine de cœur que je suis se donne toute son importance dès aujourd'hui. Depuis trop longtemps, elle remet à demain.

Je me rends ma liberté. Ce faisant, je te rends la tienne.
Celle de faire des choix, d'oser être qui tu es réellement, d'expérimenter, t'amuser.
Celle aussi d'avoir tes propres rêves, autant de désirs qui feront briller tes yeux de mille feux d'artifices...

Peut-être est-ce le plus bel héritage que je puisse te laisser.
Je ne te porterai plus sur la main, mon enfant adoré. Je t'apprendrai plutôt à marcher, à te relever aussi.

Je fais confiance que tu trouveras les chemins du bonheur, guidé par ta responsabilité et le plaisir, soutenu par la connaissance ainsi que l'estime de toi-même.

Que chaque lever de soleil éclaire tes pas vers la quête de liberté dans tes relations, dans l'amour de toi, la confiance, la sérénité et l'abondance.

Tu seras toujours pour moi bien plus qu'un roi. Tu es un... AS!,
un cœur, un joker.

> A toi de jouer tes meilleurs atouts,
> Je t'aime royalement,
> Sa Majesté, ta reine – mère.

Marie-Pierre Biron

Papa mitaine,
Maman gants blancs.

Pas facile d'être parents... j'en sais quelque chose.

La maman gants blancs... c'est moi !

J'apprends aujourd'hui à « mettre mes culottes », à assumer que je suis AUSSI une autorité qui rend mes enfants auteurs de leur vie.

Je me pratique chaque jour à dire « Non » ... le plus difficile, c'est de me dire « oui » à moi-même.

Merci à eux de « m'élever », de me faire grandir.

Pendant que l'hiver revêtait son manteau blanc, monsieur Mitaine s'hasarda dehors farouchement, bravant le froid et le vent.

Chemin faisant, il fit la rencontre de la charmante madame Gants Blancs.

Après s'être fréquentés quelques saisons, il leur sembla évidant qu'ils étaient faits un pour l'autre.

Monsieur Mitaine demanda la main de madame Gants Blancs.

Bien au chaud, tendrement enlacés, en un tour de main, ils tricotèrent serrés 2 beaux enfants : mini-mitaine jr et mini-gant blanc 2.

Papa Mitaine adorait ses « fil-les », tellement, qu'il ne leur disait presque jamais non, bien intentionné, se refusant de leur faire de la peine.

Faut dire, également, qu'il avait un foulard sur les yeux : aveuglé par son amour, ses enfants lui semblaient si parfaits.

Ils avaient, vous l'aurez deviné, bien de la corde !

Il les emmitouflait, les enveloppait chaudement, douillettement, dans ses bras, les portait sur sa main.

Il s'était promis que rien ne leur arriverait, qu'il les protègerait contre toutes les intempéries de la vie.

Sous son côté mitaine, il y avait tout un désir d'être aimé, une grande peur du conflit et de sa propre colère.

Tant qu'à Maman Gants Blancs, elle était la reine de la propreté, des belles manières ainsi que du savoir vivre.

Elle travailla d'arrache-pied pour mettre ses enfants à sa main.

Ménageant tout le monde autour d'elle, sauf elle-même, madame GB faisait très attention pour ne pas hausser le ton, elle s'assurait de bien expliquer à ses petits rejetons, aussi doucement que patiemment, la moindre désapprobation.

En fait, madame Gants Blancs avait une peur bleue d'échapper une maille et de faire des trous dans leur estime de « soie ».

Elle avait tant de peurs : du jugement... du regard des autres... de la séparation...

Sous ses « zélés-gants » se « ca-moufle-aient » 5 appendices articulés qui lui dictaient fidèlement la marche à suivre :

Le premier, c'était le : je « doigt » être raisonnable et responsable.

Le second : je « doigt » tout faire pour ceux que j'aime.

Le troisième : je « doigt » être parfaite en tout.

Le quatrième : je « doigt » ne pas me mettre en colère.

Le cinquième : je « doigt » être forte.

Quand les enfants ont grandi, ça s'appelait : « Attache ta tuque!!! »

Habitués d'être prises en charge, sauvées, surprotégées, les lois du « faites pour moi » et du moindre effort guidaient leurs pas.

Inutile de vous dire qu'elles avaient parfois les 2 pieds dans la même bottine, peu stimulées à : faire pour elles, se débrouiller, se dépasser.

Princesses de surcroît, à combler tout leurs besoins autant que leurs désirs, ces parents avaient oublié l'importance de l'intimité et de la liberté.

Ils étaient esclaves des petits bouts qu'ils avaient engendrés.

De plus, mini-mitaine jr et mini gants blancs 2 sortaient de leurs gonds au moin-dre « non ! », intolérants à la frustration.

Loin d'être « imperméables » à toutes ces capricieuses manifestations, les doigts de maman gants blancs finirent par la démanger, trop à l'étroit, ils avaient une folle envie de leur tordre le cou, ou encore mieux, de troquer ses gants blancs pour des gants de boxe !

Papa mitaine, lui, se forgeait, en son for intérieur, un bras de fer, dans un gant de velours!

Leurs parents commençaient à se demander s'ils n'auraient pas mieux fait de leur botter le derrière.

Bon!... Peut-être pas à ce point... ce ne sera pas nécessaire si papa Mitaine et maman Gants Blancs se donnent le droit de se respecter, de se vivre intensément dans ce monde des émotions... de façon responsable où les non-dits se transfor-ment en demandes claires, en limites et conséquences... où l'on délimite son ter-ritoire, qu'on s'occupe aussi de ses besoins d'homme, de femme, de couple... pour ça, il aurait fallu le savoir !

Maintenant, ils savent.

Sans le savoir, leurs enfants leurs montraient le chemin de la colère-responsable qui libère, réclamant des limites... c'est sécurisant.

Il était grandement temps qu'ils se donnent le droit, avant que leur colère ne devi-enne de la violence, trop longtemps prisonnière des gants blancs... avant que les enfants ne perdent le respect de leurs parents trop mous, trop mitaines.

Comme tout est bien qui finit bien, papa Mitaine et maman Gants Blancs ont appris une grande leçon : METTRE LEURS CULOTTES !

CHAPEAU !!!

Sophie Fournier

Un aller simple

Je dédie ce texte à Marlène et à Lise, sa maman en phase terminale, qui m'ont appris le courage devant la mort.

Comment te dire, ma fille, que bientôt on se verra pour la dernière fois.
Je pars pour un grand voyage, un aller simple seulement, sans retour, mon amour.

J'ai déjà un pied sur le seuil de la porte du paradis... Je vais et je viens entre la vie et la mort, mon trésor.

Mon souffle me trahit, la flamme dans mes yeux s'éteint petit à petit.
Mon corps m'abandonne.
Est-ce que tu me pardonnes ?

Il y a en moi une maman lionne qui rassemble toutes ses forces et son courage pour vivre et voir grandir ses petits.

Il y a aussi une femme fauve qui rugit de douleur et de peurs.
Jadis grande féline, aujourd'hui amaigrie, rongée par la maladie, devant la mort je m'incline.

Mais pas avant d'avoir fait le plein dans mes bagages de doux souvenirs et de câlins,
Ni de m'être assurée que pour toi tout ira bien.
Raconte-moi tes peurs, tes rêves, tes projets, tes désirs, tout ce dont tu as envie.

Laisse-moi te regarder, savourer chaque précieux instants, te bercer tout doucement.

Je suis triste de te quitter si précipitamment
Ce n'est pas ce que font d'habitude les mamans.
Pour nous, c'est autrement, belle enfant.
La colère et la peine apaisées,
puisses-tu apprendre à aimer sans la peur de perdre et d'être abandonnée.
Puisses-tu te rappeler combien je t'ai aimée et que tu es ma grande fierté.
L' Éternel m'appelle...

Me voilà libérée de mes souffrances.
Chante, mon enfant, ma délivrance..

Guyane Beaulieu

Lettres au Père Noël

À Hélène, ma belle rouquine d'à peine 11 ans, lumineuse comme un soleil, malgré les jours sombres que tu as connus. Ta force de vivre, ton courage, ta bonté, ta grande maturité ainsi que ta générosité m'ont impressionnée.

Cher Père Noël,
Je sais que je suis un peu grande pour croire au Père Noël et que je l'ai demandé aussi au petit Jésus, mais je ne prends pas de chance, je veux être certaine que mon vœu le plus cher sera entendu et exaucé.

Faites, Père Noël, que ma maman qui est très malade puisse célébrer avec nous, à la maison, son dernier Noël.

Le médecin nous a dit qu'il n'y avait plus d'espoir.

Mes sœurs et moi avons décoré la maison, acheté les cadeaux et fait de notre mieux pour faire de ce moment, un « môman » inoubliable.

Une petite fille qui espère encore.

Père Noël,
Je t'écris pour la deuxième fois : laisse faire !
Il est trop tard... ma maman est partie rejoindre mon papa au ciel.

Nous célèbrerons seules Noël.

J'ai le cœur gros... j'en veux pas de tes cadeaux !

Une petite fille désespérée.

Cher Père Noël,

Je suis toujours triste, mais je suis moins en colère.

Hier, j'ai réalisé mon vœu.

Je suis allée au cimetière faire un bel arbre de Noël à ma maman.

Je lui ai aussi confié ma peine, ma solitude et tous mes « je t'aime » qui lui étaient destinés.

Penses-tu qu'elle m'a entendue ?

Je le crois puisque je me suis sentie, tout à coup, le cœur plus léger.

P.S. J'ai gardé l'ange que j'avais mis dans l'arbre, au sommet... il me faisait pensé à maman. Peut-être qu'elle est mon ange gardien maintenant ?

Une grande fille qui vit dans l'espérance

Cher Père Noël,

C'est moi, qui t'ai écrit... tu sais, la petite fille désespérée ?

Un an bientôt s'est écoulé.

Je voulais te remercier des cadeaux que tu m'as envoyés tout au long de l'année.

D'abord, ma grande sœur a accepté de m'accueillir chez elle.

Au moins, je n'ai pas eu à vivre chez des étrangers. Je me sens en sécurité et aimée.

Et puis, elle va avoir un bébé! J'ai hâte ! Nous formons une « vraie » famille : une maman, un papa, des enfants...

Sans parler qu'à ma nouvelle école, j'ai été tout de suite « adoptée »; je me suis fait plein d'amis (es), on dirait qu'il y avait des mamans, partout où j'allais, qui se sont prises d'affection pour moi, à qui je pouvais me confier, demander conseils...

Il y avait même un petit chien à mon école à qui je rendais visite entre les cours: j'étais sa préférée, j'en prenais soin, elle mettait de la joie dans ma vie.

En plus, j'ai même reçu une bourse pour suivre des cours de violon.
Tout cela... c'était inespéré !

Merci ! pour tous ces beaux cadeaux.

Je te laisse : mes sœurs et moi avons un rituel qui nous attend : nous allons décorer l'arbre de Noël pour maman... elle pourra le contempler d'en haut, ce sera le plus beau !

Espérance xxx

Virginie De la Chevrotière

Au-delà de mes rêves

À mon amie Sylvie, décédée trop jeune d'un cancer.

Tu as semé en nous la générosité, le don de soi, l'accueil, l'amour, la force, et le courage.

À toi, qui nous aura appris à écouter notre petite voix :
Bonne nuit !

J'ai rêvé toute petite d'être une princesse : vous m'avez aimée, adorée, choyée comme une reine.

J'ai rêvé d'un cavalier : j'ai rencontré un beau grand chevalier-servant, prêt à tout pour moi.

J'ai rêvé d'une grande famille tricotée serrée : j'en ai eu deux sur qui j'ai toujours pu compter.

J'ai rêvé de richesses : j'ai eu deux trésors, mes enfants, un cœur en or, de l'amour en abondance, de précieuses amitiés, partout où je suis allée.

J'ai rêvé de faire de ma vie une musique : j'ai eu droit aux premières loges où jour après jour, mon troubadour a enchanté ma vie en me faisant la cour.

J'ai rêvé d'un toit : nous avons déniché une belle maison dorée au bord d'un lac où j'ai vu les saisons jouer à trois fois passera...

J'ai rêvé d'illuminer le regard d'un enfant : j'ai fait le boute-en-train dans des wagons remplis de centaines d'enfants heureux, avec des étoiles dans les yeux.

J'ai rêvé d'un monde sans souffrances où règne la paix, le calme, la sérénité : je crois que je l'ai trouvé.

Je me réjouis de ma vie, puisqu'elle aura été au-delà de tant de rêves.

S'il est un dernier rêve que je souhaite se réaliser c'est de vous voir vous amuser, rire et chanter... vous aimer..., vous réunir..., fêter et porter un toast à ma santé !

Le repos du guerrier, bien mérité, m'invite à la félicité. Il m'a été pénible d'accepter de vous quitter !

Même si le sommeil éternel m'a gagnée, sachez que je veillerai sur vous d'en haut, au-delà des rêves.

Partie sans laisser d'adresse

À Marc, mon amoureux,

En hommage à la première femme de sa vie : sa mère Huguette, fauchée à 36 ans d'un accident de la route.

Malgré la peur de perdre, il a pris le « risque » de m'aimer et de me laisser l'aimer.

Par un sombre matin d'automne, elle s'en est allée travailler pour ne plus jamais revenir. J'avais perdu, pour toujours, mon premier amour.

Attends, maman! J'ai encore tellement de choses à te dire.

Je ne suis qu'un « ado-naissant », je ne suis pas prêt à te laisser partir.

Comment on fait, à 13 ans, pour vivre un si grand chagrin et accepter la cruauté d'un tel destin ?

Ai-je le droit de me révolter ? de crier que j'ai encore besoin de toi ?

Est-ce qu'un petit homme, ça peut pleurer ?

Je reste là, bien droit, comme papa, à côté d'une boîte en bois tapissée de satin, où tu sembles dormir si paisiblement... en sachant que cette fois, tu ne te réveilleras pas.

Moi qui pensais que tu serais toujours là.

Et puis voilà! En un claquement de doigts, tu t'en vas... bien malgré toi... sans laisser d'adresse.

J'ai en moi, bien enfoui, tout un lac de tristesse.

Je regrette tant de ne pas avoir pris le temps d'un baiser...

d'une dernière caresse.
Je regrette tant de ne pas avoir fait de provisions de ta tendresse.

Malgré les saisons qui me poussent dans le dos pour que je me fasse une raison, je te cherche sans cesse.
Je parcoure les routes à ta rencontre.. là où t'as perdu la vie et moi, ma mère.
Quel est le chemin qui mène vers l'AU-DELÀ ? J'ai un message pour toi!

Plus de vingt ans à chercher... un signe, ton doux visage, un petit quelque chose qui me rappelle toi.
Maman, est-ce bien toi qui veilles sur moi ?

Étrangement, tu sembles avoir entendu mes prières puisque j'ai croisé l'amour sur mon chemin.

Une femme de 36 ans, mère de deux enfants qui ont le même âge que nous lors de ton départ, qui travaille aussi dans une école... comme tu l'avais fait... Serait-ce le fruit de mon imagination, toutes ces « coïncidences » ou bien ta réponse à mes questions ?

J'ai rêvé de te la présenter, maman... tu l'aurais aimée !

J'ai peur, maman.
Peur de perdre, d'aimer et de me laisser aimer.
Peur d'avoir encore mal et ça me tiraille.
J'ai peur qu'à son tour, elle ait un accident, que cette fois je déraille.

Pourtant, mon désir d'accepter ce présent est si grand.
C'est tentant...
Je m'apprivoise au bonheur tout en te cherchant.

Mais il y a ces regrets qui m'empêchent d'être en paix.

Je suis enfin prêt à te confier mon secret :

Me voici, là où tu as été enterrée six pieds sous terre.

C'est aujourd'hui mon 36e anniversaire.

« Maman, tu me manques tellement... si tu savais combien je m'ennuie de toi... »

À ces mots, tel un barrage qui se rompt, se libérèrent mes sanglots.

« Je m'en veux de ne pas t'avoir dit « je t'aime », ce jour-là, du haut de mes 13 ans.

Et bien cette fois, je n'y manquerai pas.

Comme je ne sais toujours pas ton adresse, j'envoie dans le ciel, un ballon rouge gonflé d'amour sur lequel est écrit : JE T'AIME. »

À cet instant, un oiseau vint se poser sur une branche en chantant. Le ballon monta si haut qu'il rejoignit les nuages.

Puis comme par magie, le nuage prit la forme d'un cœur, le ballon s'y dirigea telle la flèche de Cupidon.

Je ressentis alors une telle sérénité !

Mon message était enfin livré et moi, délivré.

Moment divin, j'ai peine à l'expliquer.

J'ai reçu à mon tour un message comme si elle l'avait écrit elle-même de sa main :

« Il y a de cela déjà 36 hivers, ta venue au monde comblait mon coeur de joie, faisant de moi ta mère.

Mes larmes fêtèrent ton arrivée, alors que les tiennes déplorèrent mon départ, quelques années plus tard.

Trop court, ce temps passé à tes côtés... mais à la fois, tous ces moments firent de moi une maman comblée.

Lorsque le chagrin brouillera ton chemin, n'oublie jamais que je vivrai toujours à travers toi.

Tu n'auras qu'à fermer les yeux et à te rappeler notre campagne d'autrefois.

Tu m'y retrouveras à travers une odeur de foin, un sourire, une larme venue de loin, tes enfants, tous ceux qui m'ont aimée... un souvenir, un rêve, une musique... un lac, un coin de ciel, un cardinal, un « je t'aime ».

Je suis partout où tu vas..., là..., dans ton cœur, partout où ça goûte le bonheur.

Avec amour,
La première femme de ta vie,
Ta maman qui t'aime, aussi.

J'ai enfin trouvé son adresse, sa demeure : elle habitera à jamais dans mes souvenirs et dans mon cœur.

Je rentre enfin à la maison.

Michelle Perreault

Le coquelet qui se croyait laid

À travers ce texte, j'ai voulu immortaliser ce « môman mère-veilleux » dont j'ai été témoin : celui d'un enfant adopté qui retrouve sa mère biologique à ses 17 ans.

J'ai été très touchée et privilégiée d'avoir la chance de vous accompagner.

Je voudrais aussi reconnaître Carole, la mère adoptive, qui a veillé avec bonté sur Jean-Pierre.

L'amour aveugle m'avait déjà mise à rude épreuve lorsqu'un jour, le coq du village se mit à me faire la cour. Jeune poulette colorée et porteuse de rêves et de désirs malgré mes quelques plumes en moins, j'ai accepté qu'il me « mette la patte dessus », en espérant bien fort que, cette fois-là, je ne serais pas déçue.

Conquise par son chant, je me suis laissée séduire par ses paroles d'amour : « ma poule par ci... ma cocotte par là... ».

Mais voilà qu'après quelques mois, il se mit à me faire la « basse cour », à me « picosser » un soir qu'il avait picolé, refusant de reconnaître sa paternité.

À ses yeux, je n'étais ni plus ni moins qu'une grue, une poule de luxe qui avait sauté la clôture.

C'en était fini des gloussements : nos échanges tournèrent au combat de coq.

Nous ne manquions aucune occasion de nous rabattre le caquet.

Malgré tout, une incroyable force m'habitait : en moi, je te portais et pour cela, j'espérais.

Tant d'espoirs déçus, sauf celui de t'avoir pondu, tout en or. C'est ce que j'avais de plus beau, de plus cher : mon trésor.

Autant que j'ai pu, j'ai veillé sur toi, jour et nuit. Tout près de 600 nuits à couver de mon mieux mon petit poussin, pour qu'il ne t'arrive rien.

Blessée, épuisée, battant de l'aile, je me refusais de te faire subir mes états d'âme et mon envie de mourir plus longtemps.

J'ai cherché un nid douillet où te déposer, te confier.

Je n'ai pas eu la force de te couver plus longtemps, ni de lutter contre un papa-coq réveillé dans ses souffrances, qui supportait mal, à mon avis, de me partager et qui déposait, parfois sur toi, ses violences.

Ça, JAMAIS!!!!

Jeune coquelet, trop jeune déjà, te refermer dans ta coquille, tu savais.

J'ai eu mal de te voir te replier sur toi à force d'avoir peur d'exister.

Je t'ai désiré,

Je t'ai aimé, je t'aime, je t'aimerai.

En te faisant adopter, j'ai cru te protéger.

Comment arriverai-je à me « par-donner » ?

Quatorze années à prier d'avoir une deuxième chance de t'ouvrir mes bras et mon cœur, te rencontrer, te raconter et qui sait, peut-être même

se créer, toi et moi, à partir de ce lourd passé.

Mes prières ont été exaucées lorsque tu es venu à moi aujourd'hui.

Te voilà un beau jeune coq devenu grand qui réalise le rêve de sa maman.

J'aimerais arrêté le temps pour te garder près de moi.

Les mots se bousculent, ma joie immense, ma peine incommensurable, mes regrets, mes projets se font concurrence.

Par où je commence?

Et si tu me parlais de toi?

-« J'ai besoin de savoir MON histoire, celle qui me poursuit depuis que je suis tout petit.

Je ne sais quoi « panser ». J'éprouve un tel « soulage 'man » en te voyant. Courageusement, mon cœur qui pleure te crie : tu m'as tellement manqué, maman!

Je me suis si souvent ennuyé de toi!

J'ai arrêté de compter les fois où je me demandais si tu allais bien, à quoi tu ressemblais, quand je te verrais ou pourquoi tu m'avais abandonné?

Peut-être était-ce parce que j'étais un « coq-laid » ou... un vilain petit canard?

J'ai même cru que si tu ne voulais pas de moi, personne d'autre n'en voudrait?

J'ai aussi pensé, comme toi, que je ne méritais pas de vivre ou d'être aimé.

Je t'en ai parfois voulu,

je t'ai aussi jugé.

Cela m'apaise de t'entendre. J'ai envie de me réconcilier avec nous deux.. avec la vie aussi.

Maintenant, moi qui, à travers mon regard de petit « coq-in » à la patte cassée, voyais ma maman comme une poule mouillée, je découvre enfin la mère-poule que tu es vraiment.

Après des pleurs et des pleurs, les présentations faites, que dirais-tu que nous fassions plus ample « co-naissance » et qu'avec le temps, nous inventions ensemble les autres chapitres de notre histoire ? »

Le trésor de la mer de chine

À ma belle Léanne.
Je te souhaite de découvrir les joies de la féminité sans la peur d'être rejetée.

Il était une fois un magnifique trésor qui gardait à l'intérieur de lui-même tout plein de questions,
de contradictions, de doutes, de peurs,
de tristesse aussi.
Tellement, qu'il s'enfermait à clé dans son coffre parfois pour penser, souvent pour pleurer.

Ce trésor avait vécu les premiers instants de sa vie en mer de Chine. Comment avait-il fini par échouer sur une plage, parmi les coquillages, les tortues, les algues et les crabes?

Il ne comprenait pas pourquoi, s'il était le si merveilleux trésor qu'on prétendait, mais pourquoi sa mer de Chine n'avait pas voulu de lui ?
Qui pourrait bien vouloir abandonner une merveille ?!

« Peut-être parce que je ne suis pas assez beau,
ou bien trop gros ?
Peut-être que je ne mérite pas d'être aimé ?
Ai-je fait quelque chose de mal ?
N'aurais-je pas été assez gentil ?
C'est sûrement de ma faute si ma mer de Chine ne m'aimait pas et qu'elle m'a ainsi déposé sur la plage ! », se répétait-il en pleurant silencieusement.

Comme par magie, ses larmes, tels des diamants, ruisselèrent jusqu'à la mer. Celle-ci entendit les secrets bien lourds de son cher trésor.

Il fallait qu'elle trouve un moyen de lui révéler les vraies raisons qui l'avaient poussée à confier son merveilleux trésor à quelqu'un qui lui offrirait ce qu'il méritait : LE MEILLEUR QUI SOIT.

Cette « mer-veilleuse » souffla alors son message d'amour dans le creux d'un coquillage et le porta, par le bercement de ses vagues, jusqu'à la rive.

Le trésor entendit quelque chose l'interpeller : « Psitt ! Psitt ! »
Mais d'où cela peut-il donc venir?, s'interrogea-t-il.
Il remarqua alors l'étrange coquillage.

Il approcha son oreille de ce messager, envoyé spécialement pour lui, et entendit la voix de sa mer de Chine :

> *« Mon cher petit, il est vrai que je t'ai porté dans mon*
> *ventre plusieurs mois.*
> *J'ai été ébloui par toute ta richesse intérieure.*
> *J'ai reconnu ta grande valeur dès les premiers*
> *instants.*
>
> *Ne doute jamais de la merveille que tu es.*
> *Si j'ai choisi de te confier à d'autres, c'est pour*
> *que tu exploites toutes les richesses qui se cachent*
> *au fond de toi,*
> *pour que tu aies droit à une vie meilleure,*
> *que tu aies ce que tu mérites et que je ne pouvais*
> *t'offrir!*

Sois entièrement TOI... tout TOI... rien d'autre que TOI.
J'en suis si fière.

Si tu regardes à l'intérieur de toi, tu verras les
étoiles dans tes yeux,
des pierres précieuses aussi dont chacune est un
moment heureux qui t'attend,
des perles de rires,
une bague magique pour que se réalisent tes désirs,
tes rêves,
des milliers de brillants pour les étincelles
de joie que te réserve la vie, des centaines de cœur
d'or pour chaque câlin, chaque bisou, chaque geste
d'amour et de tendresse qui te sont destinés.
Mes coquillages te rappelleront à jamais que je te
porterai toujours dans mon cœur.

Tu as la chance d'avoir une autre « mer », un père,
une famille pour veiller sur toi.

Tu as tout ce qu'il faut, en toi, pour faire face à
tous les intempéries de la belle aventure de la vie.

Il ne te reste qu'à sortir de ton coffre et à
déployer tes innombrables trésors.
Tu verras comme il fait beau dehors !!! »

Le trésor ressentit une grande paix. Il prit le risque de se montrer sous son vrai jour. Et ce qui devait arriver, arriva.

Deux grands amoureux de la vie passèrent par là.

Ils furent attirés par la douce lumière qui émanait d'un coffre. Ils s'agenouillèrent près de lui, le prirent dans leurs bras, le bercèrent tendrement en remerciant le ciel de leur avoir fait don d'un si beau et si précieux cadeau.

Ils se sentaient si riches d'avoir été choisis pour prendre soin de ce trésor que leurs larmes de joie et d'amour vinrent chatouiller le coffre.

Comblés, ils firent la promesse de veiller sur lui. Désormais, ce coffre aurait toujours sa place, quoi qu'il arrive, dans leurs cœurs et leur maison.

Soudain, le coffre se mit à craquer! Au son d'un air de piano, une jolie fillette aux cheveux couleur d'ébène, aux yeux en amande, toute souriante, sortit de la boîte.

Quelle surprise! Le comble du bonheur! Leur rêve le plus cher d'avoir un enfant, une petite fille, venait de se réaliser!

N'y a-t-il pas plus belle richesse?!

ET c'est ainsi que se termine le premier chapitre du « TRÉSOR DE LA MER DE CHINE »

Ce sera maintenant à toi, belle enfant, de composer les chapitres à venir.

Prends bien soin de ce précieux cadeau qui t'a été donné par ta maman : LA VIE.

Mort et Remords (RE-MORT)

Ce texte m'a été inspiré par un enfant de huit ans dont le père l'avait battu. Cet homme avait été aussi été battu enfant... Il n'était peut-être pas trop tard pour faire en sorte que cela ne se reproduise plus jamais, pour vrai. Dans la même petite ville, un autre père pleurait la mort par suicide de son grand fils.

Il avait attendu trop longtemps pour prendre soin des blessures d'ex-enfant qu'il portait en lui, trop longtemps pour se
RESPONSABILISER DE SA VIOLENCE .

Je rêve que chaque enfant puisse vivre dans l'amour, la paix,
l'accueil, la sécurité, le respect et la confiance en un monde meilleur.
Pour cela, puissions-nous, nous les adultes, baisser les poings, ouvrir nos yeux et notre cœur.

Cher fils,

Déjà tout petit, ce n'est pas la peur de mourir qui me hantait mais la peur de vivre. Alors que mes amis s'endormaient sur une histoire de conte de fées, moi, j'avais peine à m'endormir tellement ma propre histoire ressemblait à un cauchemar.

Meurtri par les mots, je me suis réfugié dans le silence à force de les « mots-dire » tous ces mots qui me disqualifiaient et me faisaient violence.
J'avais tellement peur qu'ils ne m'échappent que j'ai appris à fermer ma trappe.

Roué de coups au moindre signe de résistance, de refus ou d'ignorance, je me suis demandé trop souvent le pourquoi de mon existence.

Suis-je un mal aimé ?

Suis-je en mal d'amour ?

Suis-je un démon pour vivre un tel enfer ???

J'ai grandi de peur, dans l'espoir qu'arrive enfin l'heure où je serais délivré de toute cette douleur.

Devenu adulte, cet ex-enfant que j'étais et que je croyais mort et enterré, s'est mis à revivre à travers toi, mon fils.

Tout ce que j'avais tant jugé de mon parent batteur d'enfant, tout ce que j'avais condamné, rejeté, « amnésié », haï... **voilà en partie qui je suis.**

Quelle est cette force maléfique? Comment puis-je te faire subir les mêmes traitements que moi, enfant ?

Dieu que je me déteste dans ces moments !!!

Je suis tellement rempli de rancœur, de souffrances, de haine, de peurs !

Et lorsque tu poses sur moi ce regard apeuré, j'ai irrésistiblement le goût de tout casser : pas toi ! seulement le miroir de moi et de mon passé.

C'est encore toi qui as écopé... Dis-moi : c'est quoi aimer ?

J'ai oublié les mots, ce dont je me rappelle ce sont les maux.

Comment me faire pardonner ? Je me sens impardonnable.

Me donneras-tu un peu de temps? Le temps de guérir et d'apprendre à m'aimer ...à faire autrement.

Me donneras-tu une autre chance d'être ton papa, celui dont tu seras fier au moins une fois ?

Me laisseras-tu réparer les « des-gars » (dégâts) ?

Voilà ce que je m'apprêtais à te dire avant que tu ne mettes fin à tes souffrances.

Hier, j'ai appris que tu t'étais enlevé la vie.

D'en haut, entends-tu mon âme et mon cœur qui crient?

Me voilà impuissant, incapable de mettre un baume sur tes souffrances.

Si j'avais pu remonter dans le temps, comme j'aurais voulu réinventer ton enfance et reprendre toutes mes violences.

Comme j'aurais souhaité qu'ensemble nous trouvions le chemin de la délivrance...

J'ai été devancé par le grand sablier de la vie... avoir su... je n'aurais pas attendu si longtemps pour baisser les poings et... ouvrir mon cœur.

Je porterai ton deuil doublement, mon fils : ta mort et mes « re-mort » (remords).

Ton papa qui avait peur de vivre

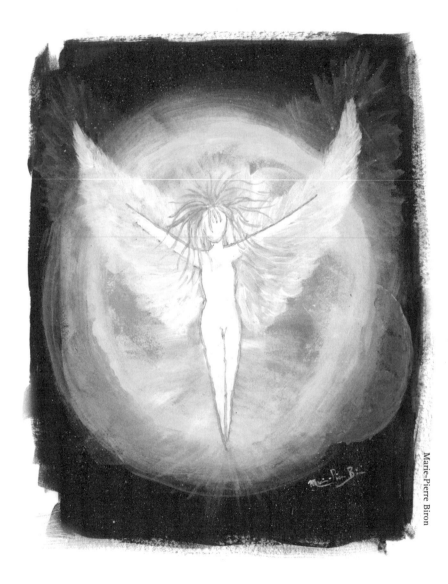

Marie-Pierre Biron

L'éclipse

À Lucille, sa famille, Michaël, Danick (fils de Julie) et tous ceux qui l'ont aimée.
À la mémoire de Julie, leur soleil qui s'est évanouie trop tôt, à la tombée d'un jour
d'hiver.

Notre soleil,
tu t'es éclipsée furtivement,
l'obscurité te dérobant à nos yeux, pourtant ouverts si grands.
Ton passage dans l'ombre de la lune nous a plongés dans le noir,
momentanément,
le temps d'y voir plus clair. Ça prendra tout ce temps.
Il nous faudra être patients.
Comme il nous est affligeant d'accepter cette fatalité de te voir couchée à jamais.
Ta lumière nous manquera tellement !
Comment un soleil si chaleureux, si réconfortant, a-t-il pu s'éteindre
si subitement : flamme vaincue par un géant au souffle trop grand ?
Quel est ce mystérieux adversaire qui t'a inspiré tant d'inquiétudes et de ressen-
timent, faisant ainsi ombrage à ta vie ?
Quelle est cette guerre intérieure qui a dévasté sur son passage
foi, espoir, amour et vie t'ayant jadis habitée ?
Trop plein d'impuissance face à toutes tes souffrances bien gardées, pour nous
ménager ?
Par amour pour nous, nous aurais-tu épargnés ?
Comme nous aurions voulu être à tes côtés, pour t'accompagner et
trouver la lueur d'espoir qui aurait guidé tes pas,
tel le phare au loin, dans l'obscurité de ta route.

Ton choix demeure pour nous un grand mystère;

nous respecterons ta volonté.

Tu resteras à jamais notre belle et bonne étoile,

Cela, rien ni personne ne pourra l'effacer.

Puisses-tu retrouver ta lumière et le sentier de l'amour et du pardon qui mènent
au repos éternel.

Lors des jours sombres, froids et nuageux,

nous nous souviendrons,

qu'un soleil est passé dans nos vies, nous réchauffer.

Nous nous souviendrons de « notre soleil », au midi de ses jours heureux.

Virginie De la Chevrotière

Le mal « dodo »

Je dédie ce texte à vous toutes qui m'avez confié vos secrets.

Je vous admire d'avoir bravé la « noirceur » et de prendre le risque de vivre une vie que je vous souhaite ,du fond du cœur, MEILLEURE, sans violence et fleurie de douceurs.

Je me souviens vaguement du temps où, petit bébé rosée, je retrouvais la sécurité de mon douillet berceau, pour m'abandonner à poings fermés, dans les bras de Morphée.

Par une nuit plus obscure que les autres, ton « jeu » m'a tiré de mes rêves.
Du haut de mes trois ans, mon cœur a bondi de joie : mon papa venait jouer avec moi !

Enfin, tu t'occupais de moi... cela me manquait tellement... je t'avais à moi toute seule... tout collé contre moi... débordant de caresses qui me chatouillaient.
J'ai voulu croire que tous les papas jouaient ainsi à la poupée avec les petites filles. Toi le papa, moi ton jouet.

Jusqu'à ce que je sois assez grande pour réaliser que tes gestes étaient honteux et malheureux.

Mais un jour, j'en ai assez de ce « jeu » routinier qui « Père-dure » depuis trop d'années.

Personne d'autre que toi ne me touche de cette façon, étrange non ?

Moi, j'veux plus jouer, tu me fais mal !

J'veux ma maman, j'veux faire dodo comme avant !!!

J'ai un mal dodo.

Ça doit être parce que j'en ai plein le dos.

Tu me voles mes nuits, ma tranquillité,

Tu es entré dans mon intimité sans que je t'y invite.

Je suis dégoûtée,

je suis apeurée de mourir écrasée sous ton poids et tes menaces.

Je t'en veux de violer mon enfance.

C'est pour moi un « viol... lent ».

Je n'ai plus de papa. Il se transforme la nuit en homme bestial, tel un loup-garou cédant à ses bas instincts.

Dis, mon Dieu, est-ce un crime de parfois avoir envie de tuer son piètre papa ?

Dis, mon Dieu, toi qui vois tout d'en haut, est-ce que toi, au moins, tu me crois ?

Dis, mon Dieu, qui me protègera et veillera sur moi si ni ma maman, ni mon papa n'y voient pas ?

Dis, mon Dieu, est-ce que tu voudrais me ramener auprès de toi, puisque je suis sortie de mon corps pour ne plus ressentir la honte et ma souffrance? Je suis un peu morte en dedans, je pourrais peut-être aller au ciel ?!

Puisque tu n'as pas exaucé mes prières,

Alors donne-moi la force et le courage de croire, de me pardonner d'avoir eu la naïveté et l'innocence d'une enfant.

Guide-moi, afin que je me donne le droit de restituer les violences qu'il a déposées sur moi.

Montre-moi le chemin de la délivrance ainsi que du vrai amour : l'amour de moi.

Apprends-moi comment poser mes limites, me respecter, me faire respecter et ne plus jamais accepter l'inacceptable pour que je puisse enfin exister en tant que belle femme, sans me laisser abuser de mes charmes.

Enfin, aide-moi à retrouver la sécurité, la paix et la sérénité du bébé dans les bras de Morphée.

MERCi "DOC"!

Docteur, j'ai mal au cœur !

Visite d'une patiente qui demande d'être entendue plus que « soi-niée ».
À prendre avec une bonne dose d'humour!!!

« Comment allez-vous madame ? », me demanda mon docteur lors d'une visite.

Quelle question! me dis-je en mon for intérieur.
Je ne serais pas ici, si j'allais bien !?

Ne voit-il pas que j'ai la rage, que je brûle de lui
dire tout haut ce que je « panse » tout bas : mes vieilles blessures,
mes ruptures, mes cassures en plein cœur.

« Par quel bout commencer ??

La tête que je me casse ?
Le cœur qui déchire quand vient le temps de me choisir, qui a eu trop souvent
le mal d'amour ?
Le « je-nous » ?
Les épaules, qui croulent sous le fardeau des responsabilités, des devoirs et des
obligations ?
Le « coude la vie » ?
Les pieds et les mains et ce que j'en fais pour être aimée des miens ?
La gorge qui se noue de tant de non-dits ?
Les seins qui tombent ?
Le ventre à taire !?

Est-ce que je continue la liste, docteur ou mon temps est-il écoulé ?
Il me reste combien de temps à vivre ?

Curieusement, j'ai l'impression de vivre, à mesure que
je mets en mots, mes maux.

Il y a tellement de « mal à dire » que j'ai tenté de « soi-nier » moi-même, lui dis-je sur le ton de la confidence.
Suis-je un cas désespéré ?

Je me mets de la « haute pression » pour ne pas m'isoler au bord de ma quarantaine, face à la sévérité des pressions qui viennent des « jarrets » : « jarret » dû faire ceci ou dire cela; « jarret » pas dû; « jarret –te » pas d'exiger de moi et des autres.

J'ai le « va-vite », le souffle court, des hémorragies
de larmes , la diarrhée verbale ! des crises de « foi », des crises de cœur, des crises de folie passagère lorsque je me « choc » : le mot scientifique c'est colère ».

Le « doc » n'a toujours pas placé un mot.

Respire-t-il encore ? C'est qu'il n'est pas jeune, il a peut-être eu une
attaque, un caillot au cerveau!!! Il a l'air paralysé...
Je le comprends, il y a de quoi!!!
Je paralyse d'ailleurs moi-même régulièrement.

Soudainement, il revient à lui et me demande de passer de l'autre côté, dans la salle d'examen.

Il m'ausculte, pèse ses mots, mesure ses paroles, écoute mon cœur une seconde fois, prend ma température et ma pression.

Puis il m'éclaire de sa lumière et me dit : « Tousse... »,
ce que je m'empresse de faire sans même lui laisser le temps d'en dire plus, trop
heureuse qu'il s'intéresse à mon cas.

- Euh! euh ! toussai-je faiblement... (j'avais une extinction de voix jusqu'à ce jour,
je dois y aller tout doucement!!!)

Il revient à la charge : « Tousse si bien... ! »

Je ne fais ni une ni deux et je m'exécute sur le champ, bruyamment! :

- EUH! HUM!

Patient, il reprend : « Ce n'est pas tout à fait ce que je voulais dire... Ce que j'essaie d'exprimer c'est que c'est « tousse si bien » d'en parler ! Il faut crever
l'abcès. Je crois qu'il est temps pour vous « d'opérer ».
Il est possible que vous souffriez d'une maladie peu connue appelée « NEURO-
RECTO-PHOBIE ».
Cela arrive lorsque les nerfs des yeux se mélangent avec les nerfs du rectum et
que vous ne voyez plus que de la merde dans votre vie!!!

- Est-ce que ça se soigne, docteur ?, dis-je sur le bord de perdre connaissance,
réalisant la gravité de mon état!

- Il n'existe aucun remède en pharmacie, dit-il.

Ça y est, je me mets à avoir des palpitations.
Je lui pose courageusement la question qui me brûle les lèvres :

Est-ce que je vais mourir ???

Le voilà mort de rires, faisant des efforts surhumains pour se contenir.
- Mourir ?!, mais au contraire! Vous commencerez à vivre ! Et vous savez quoi, en apportant les quelques modifications suivantes à votre régime de vie, vous risquez de vivre très vieille et en parfaite santé ! »

Il me remit son ordonnance :

> vous mettre sur respirateur : respirer par le nez profondément;
> vous « déplâtrer », sortir de votre armure, lâcher votre fou;
> vous exercer à avoir du plaisir;
> bien manger;
> vous reposer;
> tirer la langue et dire ha! Ha!,
> faire régulièrement des prises de « sens » afin de vous rappeler que vous avez plus de bon sang que vous ne le croyez;
> passer du temps au « SOI INTENSIF » ;
> « gai-rire » votre cœur tout en douceur avec du baume et des fleurs;
> vous ouvrir au lieu de vous faire souffrir;
> être patiente;
> vous remettre sur pied lorsque vous tombez;
> vous branchez sur « dit à Lise... » ou à qui vous voudrez, quotidiennement;
> Filtrer à chaque instant ce qui est bon pour vous et ne prendre que ce qui vous plaît, non ce qui vous déplaît. Soyez vigilante !

- Quand « pansez-vous », Madame ?

- J'en pense que j'ai de la veine d'avoir un docteur qui entend les mots, derrière les maux.

- C'est parce que j'ai déjà été aussi un « SOI-NIANT » que je peux maintenant montrer le chemin de la guérison.

-Eh! bien, docteur... vous n'êtes pas prêt de me revoir de sitôt.
J'ai décidé de prendre soin de moi et de faire ce qu'il faut pour être bien dans ma peau.

Je lui dis toute ma gratitude, le remerciai encore et quittai son bureau.

En sortant, il y avait foule dans la salle d'attente.
Tant de malades déçus dans leurs attentes.
Certains semblaient mécontents d'avoir ATTENDU si longtemps.
Curieux, ils sont tous des patients, pourtant!?

Quoiqu'il en soit, ils ne perdent rien pour attendre car avec ce bon docteur, ils seront à leur tour ENTENDUS.

À MA SANTÉ ET À LA VÔTRE !!!

Virginie De la Chevrotière

Passer sa vie à mourir

À mon amie France.

Toi, mon amie, n'es-tu pas cette ex-petite fille qui, dès qu'elle a vu le jour, s'est reprochée de vivre, croyant qu'elle avait presque fait mourir sa maman?

Comme je me sens impuissante face à toutes ces souffrances qui te hantent.

Je te souhaite le meilleur : tu le mérites tant !

Toi, mon amie, n'es-tu pas ce mignon petit qui se croyait non désirée ?

Toi, mon amie, n'es-tu pas ce petit poupon qui se disait que le sang dans ses veines était poison ?

Toi, mon amie, n'es-tu pas ce petit être qui imaginait, à travers ses yeux de nourrisson, que la vie n'était que « sous-France » ?

Pourtant, n'es-tu pas devenue cette merveilleuse femme belle, brillante, ayant le cœur aussi grand que l'océan, intuitive et raffinée, dont les capacités et les possibilités sont autant de trésors comme un grand coffret rempli d'or?

Et je te sens là, à la dérive, sur le radeau de fortune construit pour éviter de te noyer, dans cette immensité d'eau, salée à force de pleurs.

Je te sens là, perdue, en pleine « mère ».

À travers tes vagues à l'âme, j'entends cette petite fille qui pleure, qui crie sa douleur, qui a mal au cœur, qui rejette le bonheur, qui évacue, comme un bateau qui prend l'eau, ce qui n'est pas bon pour elle.

J'entends cette petite fille qui veut arrêter de souffrir, qui veut parfois mourir et qui désespère, ne croyant plus au paradis sur terre.

J'entends cette petite fille qui a plein de choses à dire, des « mals »... des « mals à dit ».

Cette merveilleuse enfant qui ne se voit pas encore, qui souhaite perdre conscience pour oublier, même quelques instants, combien elle a mal en dedans.

Je sens ta peur. Elle t'étouffe, il fait noir, tu te contractes.
Cette peur! Encore et encore !
Cela ne te rappelle-t-il pas le passage, le tout premier passage, lorsque tu es née?
Tu crois que tu vas mourir; tu es en réalité en train de te mettre au monde.
Encore quelques poussées, mon amie...

Une lueur, quelqu'un qui tend les mains à la sortie du tunnel de la vie, de ce nid douillet qui était le ventre de ta maman.
Et puis la lumière!
le bruit !

Nous sommes là... prêts à t'accueillir.
On t'attend, les bras grands ouverts, nous réjouissant, tout en essuyant nos larmes de joie.

Et voilà!
Qu'est-ce qu'on entend?
Ton premier cri, premier signe de vie.

Maintenant, que ta maman t'a fait don de ce précieux cadeau qu'est ta VIE,
que tu as grandi et que te voilà devenue femme,
c'est à ton tour de jouer,
de dire « oui » à la vie,
d'apprendre à marcher, à tomber puis à te relever.

Sois bonne pour toi, mon amie, comme si tu étais l'ange gardien d'un tout petit bébé que le ciel t'aurait confié.
Prends en bien soin, il est encore fragile et si vulnérable.
À toi de l'aimer aussi inconditionnellement que tu le peux, le bercer, le guider, le soigner, l'encourager;
lui apprendre ce que tu sais;
le nourrir, le rassurer, lui pardonner ses maladresses.
Il a tellement à apprendre.
Apprends-lui à se dire, à oser, à s'aimer ainsi qu'à se laisser aimer.
Puisses-tu t'entourer de douceur, d'amour, de paix et d'harmonie.
Puisses-tu sortir de ton enfer, pour qu'ensemble nous puissions vivre notre amitié sur terre.

Ton amie... pour la vie.

Sophie Fournier

Chouette et « effraie-yée »!

Je dédie ce texte à Lydia, mon bel oiseau rare, mon oiseau du paradis, vive et hardie comme l'émerillon.
À toi qui as hérité du regard perçant de l'aigle et des quatre vertus du cardinal : justice, prudence, tempérance, et force,
je souhaite la douceur, la pureté, la paix de la colombe ainsi que
la tranquillité d'esprit du serein.

J'ai rencontré sur mon chemin un splendide oiseau blessé qui battait de l'aile.
Il attira mon attention, car je n'en avais jamais vu auparavant de semblable.
Était-ce une EFFRAIE, cette chouette à plumage fauve clair, tacheté de gris? Tout à fait : CHOUETTE ET « EFFRAIE-YÉE » !!!
Les moqueries des autres oiseaux de malheur étaient responsables des taches grises sur son plumage, à ce qu'il paraît.

tre « re-geai » comme le vilain petit canard, se faire traiter de tête de linotte, de drôle d'oiseau, de poule mouillée, de pie, de fou de bassan, de « faux con » lui avait coupé les ailes.

Mon bel oiseau avait d'abord tenté de se mettre la tête dans le sable comme l'autruche. Ce «faisan-t», les perroquets redoublèrent d'ardeur dans leurs railleries et s'acharnèrent comme des vautours sur leur proie.

Il se croyait un peu dinde, mon bel oiseau, parfois coucou, mais il ne se laissait pas duper par celui qui a « buse » : pas pigeon, tout de même!!!

Parfois il aurait voulu se faire petit, tout petit, à la manière de l'oiseau-mouche, et se sauver, se cacher des autres et se mettre VITE à l'abri! Mais voilà qu'il était grand...

Perché sur sa branche, mon oiseau se demandait ce qu'il deviendrait.
« Qui suis-je? Où vais-je? Que va-t-il-il m'arriver ? Est-ce que le ciel peut me tomber sur la tête? Tout m'apparaît « épouvantail » et me fait si peur !!!
Pourquoi, s'interrogea-t-il, suis-je si différent? »

Il en voulait parfois à la cigogne de l'avoir emmené dans ce monde.
Il en avait vraiment « râle d'eau » et la « m'outarde » lui montait au nez; il devenait de plus en plus marabout. Mais il ne souffla mot à personne
de sa lourde peine, de ses colères refoulées. Sa gorge devint toute rouge, nouée.
Il perdit jusqu'à l'envie de chanter et en secret, l'envie même d'exister.
Ses parents inquiets, remplis de bonnes intentions, le couvèrent davantage encore, souhaitant le protéger.

L'oiseau blessé se pensa alors manchot, incapable de voler de ses propres ailes. Ce qui ne fit qu'amplifier ses peurs et son insécurité.
Il suffoquait sous le poids de ses parents pourtant si bienveillants, des exigences, des remontrances, sans parler des autres moineaux qui mettaient aussi leur grain de sel en piaillant en chœur.

« Je me sens en prison!, dit-il enfin, se libérant de la cage qu'il s'était lui même fabriquée pour se protéger... J 'étouffe ! Je veux qu'on me laisse tranquille! Je veux seulement qu'on me fasse confiance et avoir la paix! Je veux apprendre à voler, à explorer d'autres horizons que le nid. Je veux me faire des amis !!!
Entendez-vous ce que je dis ??? »

Enfin! Un « cygne » de guérison!

Mon bel oiseau blessé commence à prendre du « pic »!

Le voilà qui se remet à chanter et cela « m'émeu-t ».

Courageusement, mon petit pipit pratique son vol d'oiseau en ligne droite, au lieu de prendre ses distances. Il apprend à se dire sans passer par quatre chemins, il apprend à se vivre, à SE faire confiance ainsi qu'à ceux qu'il appelle affectueusement : mes anges.

D'ici peu, après quelques cours de rattrapage, il pourra voler de ses propres ailes et aller rejoindre les tourtereaux, ces jeunes gens qui s'aiment.

Vous l'entendrez bientôt chanter à son tour : « liberté, liberté... mon cœur est un oiseau... »

Le cheval fougueux

À ma belle Jophie, rapide, franche, vivante et intense, avec qui je me suis amusée à « faire du rodéo », lorsque tu t'emportais et partais au grand galop. Tout un exploit d'avoir appris à ne pas monter sur tes grands chevaux... bravo! tu es sur la bonne voie et je suis très fière de toi.

J'ai travaillé un certain temps dans une école de cirque.

J'étais en charge des drôles de numéros, principalement ceux qui donnaient du fil à retordre.

J'adorais mon métier, il n'était jamais ennuyant et plein de rebondissements.

Il m'a permis de côtoyer des êtres « extra-ordinaires » derrière leurs airs de rebelle.

Un jour, on me confia une très belle bête, un cheval blanc, d'une telle fougue que certains en avaient peur.

D'une grande beauté, il pouvait pourtant être bête comme ses deux pieds lorsqu'on lui marchait sur « les-talons ».

À chaque fois qu'on était sur son dos, il se cambrait, ruait dans les brancards impatiemment, jetant par terre sans ménagement quiconque s'aventurait à vouloir le dompter ou le corriger.

Il redoublait d'ardeur lorsqu'il reniflait la peur.

Après quelques tours de rodéo, certains dresseurs étaient d'avis qu'il serait plus bénéfique pour le cirque de l'envoyer au zoo, puisqu'il n'y avait rien à faire avec un pareil caractère.

D'autres se dirent qu'il avait de l'avenir et j'étais de cet avis.

Tout doucement, il m'a fallu gagner sa confiance.

À l'observer, j'ai compris qu'il réagissait ainsi, principalement lorsqu'il se sentait acculé au pied du mur : il avait un grand besoin d'espace et de liberté, un grand besoin de pouvoir : être entendu, reconnu et être compétent.

Malheureusement, sa trop grande rapidité lui faisait dire parfois des méchancetés et même blesser des gens au passage.

Il le regrettait après et s'en voulait, se dépréciait.

C'est qu'il n'avait pas encore réussi à apprivoiser le cheval fougueux en lui.

Il avait beau faire son numéro, mais comme il n'avait pas appris à s'arrêter, attendre, réfléchir avant d'agir et inhiber l'action, il se faisait souvent huer.

Si souvent, qu'il n'arrivait pas à s'aimer.

J'étais attristée de constater à quel point ce merveilleux cheval se « sabot-tait » lui-même.

Découragé ,il lui arrivait parfois de vouloir mourir.

Je lui proposé alors de l'entraîner à se vivre, se dire autrement, sans prendre le mors aux dents, dans le respect de soi et des autres...

Puis, à se pardonner, se donner le droit à l'erreur, se responsabiliser, se récupérer, se prendre en douceur, au lieu de se culpabiliser et de se juger si sévèrement.

Peu à peu, en se disciplinant et en canalisant son intensité, il parvint à surmonter les obstacles un à un.

Vint le jour de la grande représentation.

Cette fois, il exécuta son numéro en champion.

Les applaudissements fusaient de partout tellement il était impressionnant et plein de talents.

Il fut si fier de lui et moi aussi!

Ma part du gâteau

Lettres à l'ancienne, inspirées d'un jeune homme d'aujourd'hui , Michael, venu me demander conseil pour sa relation avec « sa blonde » qu'il avait si peur de perdre, comme il avait peur de perdre sa maman.

J'admire ta volonté. T'es pas un « lâcheux », mon vieux !

Objet : <u>Invitation</u>

Monsieur,

Vous êtes invité à vous joindre à ma famille, mes amis et moi, lors d'une grande fête qui se tiendra en mon honneur.

Nous célébrerons le bonheur.

Prière de ne pas acheter de cadeau : VOUS êtes mon cadeau.

Des rafraîchissements et du gâteau seront servis.

Une réponse serait appréciée.

Amoureusement,
Désirée.

Objet : <u>Réponse</u>

Madame,

Je suis tout emballé à l'idée de venir célébrer la vie à vos côtés.
VOUS êtes mon rafraîchissement, mon ravissement.
Votre amour me donne des ailes;
un seul de vos sourires me fait monter au septième ciel.
Je suis hypnotisé par votre regard,
je passe mes journées et mes nuits à rêver de vous, les yeux hagards.
Je suis bouleversé par l'intensité de mes sentiments à votre égard,
terrifié à l'idée de vous perdre, de ne plus jamais vous voir.
VOUS êtes un délice, un gâteau des anges, qu'il m'est insupportable d'imaginer
devoir partager.
Soyez assurée que je serai de la partie.

Fiévreusement,
S.Thomas

Objet : <u>Réponse</u>

Cher S. Thomas,

J'espère que vous vous portez mieux et que votre fièvre est tombée.
Je suis très heureuse de vous compter parmi mes invités.
J'ai bien entendu votre peur de me perdre et comme il vous est difficile de me
partager.

Je dois avouer que je ne sais trop comment vous prouvez mon amour, j'ai déjà tant de fois tenté de vous rassurer.

Comme englouti dans un gouffre sans fond, mon amour pour vous ne semble pas vous rassasier.

Où est donc passée votre confiance en mon amour ?

Moi aussi, j'ai peur.

Cela me ronge par en dedans tellement j'ai peur de perdre ma liberté.

J'étouffe devant tant d'insistance,

je m'éloigne sur la pointe des pieds, impuissante, face à votre trop grand besoin d'être aimé.

Je suis sensible à vous, mais je refuse de passer ma vie à vous prouver que je ne vais pas vous abandonner.

Je doute de vouloir être votre unique source d'alimentation.

Je suis ce gâteau des anges qui veut sa part pour elle également, se refusant à se faire bouffer tout rond, pour finir par ne se contenter que de miettes.

Je souhaite aussi me partager avec moi-même, ma famille, mes amis que j'ai si cordialement invités.

Cependant, s'il y a une certitude, c'est ô combien je vous aime!

J'ai envie de savourer lentement, avec attention et plaisir,

les délices de ma vie, avec VOUS, mon bien-aimé.

Vous êtes invité à la table d'honneur, à mes côtés, je vous y ai réservé une place de choix.

Ne gâchez pas la fête en vous empiffrant dans le gâteau et risquant ainsi une indigestion.

Ne vous inquiétez pas, je nous réserve la meilleure part du gâteau.

Au plaisir,

Désirée Laliberté.

Objet : <u>Réponse</u>

Délicieuse Désirée,

J'ai bien entendu, à mon tour, votre désir de liberté, derrière votre peur.

Il n'y a rien au monde que je ne souhaite plus que de vous aimer, sans brimer votre liberté.

Je souhaite tout autant me laisser aimer, sans cette peur de perdre qui me dévaste.

J'ai jadis aimé, d'un grand amour, une femme merveilleuse, la première, ma mère.

Je l'ai perdu pour l'éternité.

La douleur était trop grande pour le cœur d'un enfant qui n'avait connu que dix printemps.

Et ce vide que son départ a laissé !

Il est vrai que ce n'est pas à vous de le combler.

J'ai cru que jamais je ne m'en remettrais.

Jusqu'à ce que je vous rencontre.

Tel un affamé, je me suis jeté à corps perdu dans le gâteau, sans « panser », croyant combler mes creux à jamais.

Je réalise qu'il y a une partie de moi à « gai-rire », une plaie que j'ai tenté de « soi-nier ».

Je vais en prendre soin, je peux vous l'assurer.

Malgré un cœur en convalescence, je vous demande de bien vouloir me donner ma chance.

Je veux prendre le risque d'aimer et me laisser aimer à nouveau : j'apprendrai.

Je vous partagerai.

Retrouvons ensemble le chemin de la liberté.

Respectueusement,
S. Thomas D'Amour

Objet : <u>Nouvelle invitation</u>

Cher S. Thomas D'amour adoré,

J'ai été touchée par l'homme de cœur que vous êtes.

Je suis impressionnée par votre sincérité, votre intégrité.

J'accepte de vous donner votre chance puisque vous m'apparaissez être un homme sensible, intense, vrai, courageux et d'un si grand charisme!

Je crois que j'ai aussi de la chance de vous avoir rencontré.

Vous êtes invité à vous joindre à moi pour une fête donnée en notre honneur.

Prière de ne pas apporter de cadeau : VOUS êtes mon cadeau.

Nous célébrerons l'amour.

Je vous aime,

Librement,

Désirée Laliberté D'amour.

Virginie De la Chevrotière

virginie

Les deux chaises

J'ai rencontré, un jour, une grande dame de fière allure, distinguée, sensible, généreuse, attentionnée, courageuse.

Porteuse de rêves, de projets et d'ambitions pour le monde de l'éducation, elle s'était vu confier un défi de taille : la chaise de direction. Chaise autant convoitée que remise en question, contestée, critiquée, respectée ou carrément renversée.

Il y a des jours où je n'aurais pas voulu être à sa place.

À Madame Annie.

Qui aurait pu s'imaginer qu'une chaise, apparemment banale, pouvait faire autant réagir!

En fait, cette chaise possédait des pouvoirs effrayants. Sans même s'en rendre compte, les adultes qui s'adressaient à elle se transformaient automatiquement en enfants. Puis, malicieusement, la chaise prenait la couleur de leurs souvenirs d'ex-enfants :

> **chaise noire** pour ceux qui ont toujours eu peur de se faire gronder, disqualifier, sermonner ou punir, victime devant un bourreau; regard voilé ne voyant que du noir devant tout ce qui s'appelle autorité. Se croyant menacé, ces ex-enfants se battent de tout leur être contre cette chaise, miroir révélateur d'un passé cherchant à être oublié;

> **chaise rouge** pour ceux qui portent en eux tellement de colère, de

peine surtout, de violences reçues, de sentiments d'injustice.

Plus jamais, se sont-ils promis, cela n'arrivera une fois devenus grands, et encore moins à d'autres petits. Ceux qui parlent fort, à force de ne pas avoir été entendus;

chaise bleu ciel pour tous les rêveurs qui travaillent à un monde meilleur;

chaise bleu royal pour les assoiffés d'apprendre, les ambitieux de monter dans l'échelle sociale;

chaise bleu marine pour les ex-enfants blessés, en voie de guérison, qui n'attendent seulement qu' un peu de confiance, de temps et de compassion.

chaise blanche, couleur du visage de ceux à qui tout le courage du monde est nécessaire pour s'affirmer, se dire, se positionner, se définir; tellement petits face aux grands.

chaise jaune pour ceux qui rayonnent leur joie de vivre, ceux qui réchauffent le cœur, ceux qui accueillent, entendent, respectent, partagent, aiment et ouvrent les bras.

Celui qui trône sur la chaise de direction en voit décidément de toutes les couleurs!!!

Ne sachant plus souvent à quels peintres, oups!, à quels saints se vouer!,

il prend d'abord la couleur de son interlocuteur, inévitablement. Sa première chaise provient de la manufacture : DÉSIR D' ÊTRE AIMÉ ET DÉSIR D'APPROBA-TION et frères.

Cette chaise est souvent rappelée par le fabricant, vu le grand nombre d'insatisfactions qu 'elle soulève.

Elle ne parvient jamais à faire l'unanimité et le propriétaire finit par ressentir tant de malaises qu'il passe la plus grande partie de son temps à la réflexion :
« Comment se fait-il que, quoique je fasse, cela déclenche autant de réactions? Quelle direction prendre? Suis-je bien à ma place? »

Voyant que cette chaise ne lui convient pas, il prend le risque de commander un autre modèle chez un compétiteur,
la manufacture: DÉSIR D'AFFIRMATION illimitée.
En prime, le positionnement;
oser se dire;
parler de soi à l'autre, non pas SUR L'AUTRE!;
affirmer son point de vue;
confirmer le point de vue de l'autre;
entendre;
prendre le risque de dire non, de prendre des décisions;
faire confiance;
accueillir, proposer, demander, exiger, même, déplaire, et renoncer à être aimé à tout prix.

Le directeur s'installe confortablement dans son nouveau fauteuil : les questions font place aux réponses;
aux satisfactions succèdent la stupéfaction d'abord, puis l'orchestration de toutes les compétences qui l'entouraient (les siennes et celles de son personnel).

Le meilleur et le merveilleux en chacun détrônèrent le pire. Cette école devint harmonieuse, magnifique et l'enseignement : une musique.
Qui aurait pu penser qu'une chaise avait tant de pouvoirs? Maintenant, elle affiche sa propre couleur, que même le temps n'arrivera pas à défraîchir.
Couleur pure, rare et recherchée : LA TRANSPARENCE.

Louis Lefèbvre

Riche à craquer

À Marcel, qui nous montre la voie de la prospérité.

Inspirée d'un homme d'affaires prospère, au cœur d'or, qui est passé aux « vraies affaires ».

———————————

J'ai eu froid,
j'ai eu faim.
Déjà tout jeune, j'étais inquiet de demain.

J'ai eu mal,
j'ai été rejet.
Je me suis dit que plus personne ne m'aimerait, si c'était ça l'amour de son prochain.

Mes dents de lait étaient à peine tombées, que j'ai appris à me relever.
La vie s'annonçait bien mal.
En fait, elle ne me disait rien qui vaille.
Armé de courage, j'ai relevé mes manches encore si courtes.
Je refusais d'être un « pauvre-raté ».
Je me suis promis d'être un jour, riche à craquer.
J'y avais intérêt.

J'ai pensé alors que, lorsque j'aurais tout, je serais quelqu'un de bien.
Non plus quelqu'un qui a mal.

Je croyais qu'ainsi, je gagnerais la bataille.

Il a fallu qu'envers et contre tous, je travaille fort, si fort pour calfeutrer mes failles.
J'ai réussi à avoir tout ce qui m'avait tant manqué, à même me payer ma tête!
Mais à quel prix ?
J'ai manipulé les gens et l'argent,
J'ai serré ma colère dans un coffre-fort, mais ça m'a conduit à la faillite.

RICHE À CRAQUER ???
OUI, JE L'AI ÉTÉ; RICHE ET J'AI CRAQUÉ!!!

Comment peut-on être tellement riche et en dedans, tellement cassé?
Tant de retraits, auprès de moi-même et de ceux qui me sont chers,
à force d'oublier de me déposer, de m'arrêter,
de prendre le temps de vivre, d'aimer et me laisser aimer.

Derrière l'argent qui m'« a-guichet », se « cachet » mon insécurité, « stockée » en banque à coup de millions.
Même avec mes profits, je ne me suis pas « père-mis » de m'acheter du plaisir, des jouets et du répit.

L'amour?
La paix intérieure?
La vérité?
La foi?
La réconciliation? : j'ai fait tous les centres d'achats pour en acheter...
sans résultat.

Je choisis aujourd'hui de ME racheter auprès de moi et de ceux que j'ai blessés.

J'ai pris des actions dans le fonds de l'humanité.

J'ai racheté ma part de RESPONSABILITÉ.

Mes parts ont pris de la valeur et depuis que je me suis mis à creuser, j'ai découvert ce qui me minait.

Il m'aura fallu des nuits et des nuits pour sortir de ma noirceur et trouver le filon qui m'a conduit jusqu'au fond de ma caverne aux trésors.

J'y ai enfin trouvé ma fortune : LE VRAI MOI, AVEC DANS SES MAINS, UN CŒUR D'OR.

ME VOILÀ RICHE POUR LA VIE : RICHE DE MOI...

Geneviève Lavallée

La mer qui ne voulait pas faire de vagues

À ma précieuse amie Claude, cette douce femme, transparente, mère veilleuse, dont la présence apaise. À celle qui depuis sa tendre enfance s'est demandée de ne pas faire de vagues.

Pour souligner le courage dont tu as fait preuve, en te donnant le droit d'exister, d'être femme, dans toute ton intensité.

Toi qui aurais souhaité être simplement un tout petit lac miroir, si calme, n'occupant qu'un petit coin sur la « taire »,
ne serais-tu pas plus grande que tu ne l'aurais pensé ?
Non pas un lac, mais un océan !

Tant d'intensité refoulée pour ne pas faire de vagues, réprimant tes élans de passion, ta joie de vivre et les fous rires qui t'habitent.

La sirène d'« à-larmes », en toi résonne depuis déjà quelques printemps, t'invitant à ses chants d'amour, de charme, de séduction, réveillant en toi, la femme.

Impossible de fuir plus longtemps tes écueils.
Tes vagues à l'âme se retournent sur elles-mêmes comme le ressac sur le rocher.

Ta boussole s'affole à l'annonce de la tempête qui se prépare.

La « mèr-e » porteuse d'amour et de rêves pour ses enfants, enlacent ses deux petits amours les protégeant du naufrage.

Comment vaincre la force du vent qui te pousse à te déchaîner sans courir à la perte de tes enfants et de l'homme qui est tombé dans la mer ?
Quel déchirement ! Te donner le droit d'être ce que tu es vraiment, pleinement, intensément, sans que ceux que tu aimes ne se noient dans leur peine.

Le temps faisant, tu as dépassé ta peur de ne pas être aimée.
La mer s'est donnée libre cours, vaincue par le courant de la vie.
Et te voilà enfin libre.

La tempête aura permis de nettoyer le fond, de remettre en mouvement ce qui stagnait, de reprendre vie.

Les enfants, quant à eux, ont appris à faire avec, créer, nager, faire de la plongée sous marine, faire de la voile, « surfer »...
En fin de compte, ils adorent aller à la mer et la trouve beaucoup plus amusante. Ils ont pris confiance en eux, car ils la connaissent mieux.

L'homme qui était tombé dans l'amer, après avoir avalé quelques gorgées d'eau salée, s'est retrouvé sur la rive !

Après avoir repris son souffle et s'être reposé, il a finalement réalisé qu'il avait nagé sur place depuis trop d'années.

Peut-être qu'en réalité, la mer lui aura fait un cadeau en lui permettant d'échouer sur la plage, car c'est à cet endroit qu'il découvrit sa place au soleil ...

C'est depuis ce temps, qu'il se surprend à rêver, d'aventures, de voyages, de pro-

jets, qu'il se prépare à les réaliser.
Et la mer ???

Elle s'assume dans toute son immensité et se fait davantage entendre.
Elle a retrouvé son intensité, sa joie de vivre et le plaisir d'exister.
Elle n'est plus amère.

J'te mangerais tout rond !

À ceux qui cachent, derrière leur peur, un grand désir de s'aimer, de s'assumer, dans leurs proportions comme dans leur « imperfection ».

À moi donc, à Mariève, aux hommes et aux femmes qui s'en font avec leur poids!

La scène commence par une plaisanterie un peu crue, lancée par un cornichon lors d'un copieux repas : le malheureux grivois fait alors allusion à mon poids. Inutile de vous dire que cela a tourné au vinaigre.

Soupe au lait comme je suis (mon thérapeute appelle ça : sensible), je lui tombe sur la tomate !
Il ne s'est pas gêné pour me saler, je le poivre!
Même si je n'ai pas la minceur d'une échalote (et je le sais!), je n'ai surtout pas besoin de me faire rappeler par un concombre mes rondeurs de citrouille!
Piquée à vif, je le somme de se mêler de ses oignons.
Ail! Ail! Ail! S'il croyait avoir affaire à une pâte molle, il se trompe!

Le pauvre bougre voit bien qu'il s'est mis les pieds dans les plats.
Il tente délicatement, du bout des lèvres, de me vendre sa salade :

« Que-passa senorita? quesedi-la ? »

Je vous jure que le gars « filet » mignon !
L'affaire est ketchup!!! Je l'engueule comme du poisson pourri et il fait la tarte, faisant semblant de ne rien comprendre, comme si je « navet »

rien dit de piquant.

J'ai l'air d'une belle poire en pleine crise de nerfs, au milieu d'un restaurant aux lumières tamisées, où tout est parfait pour les rendez-vous galants!

Il semble tout déconfit après ces quelques mots.

Je me sens soudainement glacée, comme un gâteau trop chaud qui s'émiette, faisant la gueule au couteau. Taillée au couteau ? C'est contre ma nature! Et l'accepter, c'est ce qu'il y a de « dure ».

Au fond, j'ai peur qu'après la scène que je viens de lui faire, il ne « maïs » définitivement!

Pis après, ce ne sera pas le premier qui refuse de chanter la pomme à une femme ronde, mais au fait, une pomme, ça doit avoir quelle forme ?

La vérité, c'est qu' il m'est difficile de m'aimer et de m'assumer dans mon « corps du chrisse » !!! Oh! Pardon! je ne l'ai pas encore accepté ce « corps-pulent ». J'en veux à la vie parfois d'y avoir été un peu fort. J'en ai assez de me surveiller, me culpabiliser, me peser, me juger et me faire regarder d'un drôle d'air lorsque je choisis d'autres plaisirs que la salade, le céleri et les fruits !!! AMEN !

J'en veux à tous ces gars qui m'ont plaquée, car ils cherchaient « la nana » rêvée du cinéma, ainsi qu'à tous ceux qui préfèrent le paraître à l' ÊTRE.

Malgré mon humeur « ex-et-crabe », il reste là, patient, cherchant à comprendre ce qui m'arrive, doux comme un agneau (hum! j'adore les gigots !).

Sa chaleur me fait fondre à vue d'œil comme du beurre dans la poêle.

Les yeux dans les yeux, il me prend la main et de son accent chantant murmure à mon oreille : « Me amor, j'ai t'adore ! »

Je n'arrivais pas à croire que cela m'arrivait enfin! Un homme m'avait vue avec les yeux du cœur. Je pouvais être pour lui la crème des femmes avec tous mes charmes, ma sensualité, mon intelligence, ma grandeur d'âme et ma beauté.

Plusieurs soupers aux chandelles plus tard...

Tout « beigne » dans l'huile.

Je savoure chaque moment en sa compagnie.

Curieusement, mieux je m'aime, plus il m'aime!

Nous vivons une belle histoire d'amour. Je lui ai offert mon cœur en chocolat.

Cette fois, c'est le bon!

Je le mangerais tout rond, non que je lui en veuille, mais parce que je l'aime avec passion.

De son côté, il me trouve « croquable ».

Il s'appelle Valentin et nous célébrons l'amour tous les jours.

En passant, lors du fameux souper, je n'avais pas bien entendu. Ce n'est pas sur mon poids qu'il avait fait une plaisanterie,

mais bien sur les petits pois qu'on lui avait servis !

C'est probablement moi, en fin de compte, qui n'étais pas dans mon assiette ce soir-là ?

Quand même pas de quoi en faire un plat !

Isabelle Rivest

« C'est donc ben long la vie... »

À Grand-maman qui est prête pour le long voyage depuis longtemps. Un soir que je suis allée la visiter, elle m'a déclarée : « C'est donc ben long la vie ! »

C'est vrai pour elle, mais pour moi, l'avoir près de moi, ce ne sera jamais assez long.

J'en suis à mon 91ième hiver,
J'ai vu trop de fois frissonner la terre.
J'attends sur le quai des grands départs qu'Il vienne me chercher.
C'est donc ben long... peut-être suis-je déjà morte puisque ça me semble une éternité.
M'aurait-Il oublié?

Lui seul sait combien j'ai prié, supplié pour qu'Il me permette de rejoindre mon bien-aimé, André.
J'commence à penser qu'Il souffre de surdité ou qu'Il est entêté !
C'est donc ben long la vie!
Combien d'heures, de minutes me reste-t-il à décompter?

Le temps passe au rythme de mon cœur qui bât faiblement, farouchement, devant ce qui l'attend.

Si triste depuis le placement en centre d'accueil,
emprisonnée étroitement comme dans un cercueil.

J'étouffe ici... c'est encore plus long la vie.

Pour me tenir compagnie, il y a l'oubli et l'ennui.

Je suis en deuil d'un corps vigoureux et en santé,

D'un amour tendre de 65 années,

D'un chez-nous parfumé de bons petits plats

cuisinés,

Des enfants plein la maison

D'un jardin, de fleurs,

D'odeurs et de saveurs.

Deuil d'autonomie, de pouvoir décider... de liberté.

Deuil de qui je suis.

Comme lorsque j'étais bébé, je mange, je dors,

Encore et encore...

Je pleure,

Je souris, lorsque j'ai des visiteurs, même pressés par fois.

Ne partez pas... restez !

J'ai le temps.

Quelques bonbons et du temps, c'est tout ce que j'ai.

Cela me fait tant plaisir de vous les offrir

Volontiers.

Je suis lavée, crémée, habillée, prise en charge,

Il ne se passe pas une journée sans que je sois

caressée, embrassée, chouchoutée par ceux dont

je suis la mère, la grand-mère...

N'est-ce pas le monde à l'envers ?

C'est donc ben bon la vie...

Même... si c'est long.

Je me sens privilégiée d'avoir tous ces soins
des miens. Il y en a tellement ici qui n'ont personne
pour leur tenir la main... avant la fin.
Il paraît qu'on récolte ce que l'on sème.
Cela doit être pour ça qu'on m'entoure,
Qu'on ne me délaisse pas, ici à l'étroit,
Et qu'on m'aime.

Ce qui me retient, c'est peut-être le chagrin
De quitter les miens.
C'est donc long ce chemin qui mène au paradis,
Mais ça doit être encore plus long, sans amour, sans
Famille, sans amis.
Me voilà revenue à l'essentiel, attendant ma place au ciel.
J'y apporterai comme seul bagage un cœur rempli d'amour, de générosité, de paix
et de partage.
Il m'aura fallu tout ce temps pour partir en paix.
C'est donc ben long l'ennui..
C'est donc ben long attendre la mort sans regret, sans remords..
C'est donc ben long l'attente interminable du grand départ, là où je dois partir,
pour ne plus jamais revenir.

Vous qui avez la vie encore devant vous, mordez-y à pleine dents... pendant que
vous les avez encore!!!

Vous qui débordez d'énergie et de jeunesse, célébrez chaque moment de joie,
d'amour et de tendresse.

Vous dont les oreilles ne vous ont pas encore fait faux bond, soyez attentifs à vos
désirs, à vos rêves, à vous-mêmes et aux autres. Écoutez-vous et prenez le temps

d'entendre ce qui ne se dit pas parfois.

Vous, qui avez encore votre mémoire, souvenez-vous du meilleur de moi, de tous les moments qui ont mis des étoiles dans vos yeux.

Vous dont la vue n'a pas encore baissée, regardez là-haut, je veille sur vous.

Enfin vous, dont les sens sont bien aiguisés, ressentez combien je vous ai aimés.

LA VIE EST DONC BEN...
COMME VOUS L'AUREZ VOUS-MÊME RÊVÉE,
COMME VOUS L'AUREZ CRÉÉE.

Petites choses

Aux enfants et ex-enfants qui se croient tout-petits, alors qu'ils ignorent combien ils sont GRANDS.

À mon p'tit bout d'Annabelle, à qui je souhaite de réaliser, combien il y a, en chacun de nous, d'infinis possibilités de devenir. Peu importe combien on mesure, peu importe combien on gagne dans la vie.

Puisses-tu te créer à partir de la GRANDE et BELLE personne que tu es.

Je suis une poignée de terre, toute retournée.

Je suis sol fertile.

Je suis ce ventre, ensemencé d'amour ,devenu jardin.

Je suis soupir.

Je suis silence.

Je suis musique.

Je suis la respiration du musicien.

Je suis une brise légère.

Je suis une caresse.

Je suis le petit vent frais, rafraîchissant, qui par temps de canicule, fait du bien.

Je suis une rose.

Je suis un parfum qui éveille les sens.

Je suis une invitation à la romance.

Je suis une abeille.

Je suis miel.
Je suis le sucre de vos matins.

Je suis un point d'exclamation.
Je suis une interjection.
Je suis joie, surprise, émotion.

Je suis flamme.
Je suis la vie de la bougie.
Je suis fête, désirs, réjouissances,
Je suis le commencement d'un feu plus grand.

Et moi qui croyais n'être qu'un tout petit rien dans ce bas monde. Je réussis à faire de grandes choses autour de moi par ce que, simplement, JE SUIS.

Mélanie Dubé

DÉSIR, où te caches-tu?

J'ai eu le privilège de croiser la route de M. Jacques Salomé, lors de séminaires.
Cet enseignement m'a profondément marquée : « Derrière toute peur, se cache un désir ! » disait-il.
J'étais loin de m'imaginer, à quel point c'était vrai,
jusqu'à ce que je l'expérimente.
J'avais ces peurs : peur de perdre l'amour et peur de l'abandon.
J'étais à ce point terrifiée, que plus d'une relation amoureuse ont pris fin, en criant lapin.
Si ce n'était pas moi qui prenais la fuite, c'était mon conjoint.
Je vois aujourd'hui, combien je me suis fait arriver ces déceptions. Ne dit-on pas que la pensée crée?
J'ai fait peur à bien des hommes autant qu'à moi-même, jusqu'à ce que je prenne soin de mes désirs : m'engager et vivre un amour durable.
J'ai symbolisé ce désir par un vieil homme et une vieille femme, se berçant côte à côté.

Je nous souhaite, à mon conjoint et à moi, de vivre un relation si belle, riche, épanouissante, vraie, que cela me rendra encore heureuse de me bercer près de lui, jusqu'au decrescendo de ma vie, où je m'éteindrai tout doucement.
Nous partageons encore ce désir.
Chaque matin, ce symbole nous invite à prendre soin précieusement de notre relation aujourd'hui... jour après jour.
Me voilà davantage confiante,
plus « DÉSIR-EUX-REUSE »
et tellement moins « PEUR-EUX-REUSE ».
Et je suis encore avec mon amoureux!

LA PEUR, elle débarque chez-nous sans y être invitée.

Elle s'installe et nous habite comme un parasite.

Sans manière, elle force notre porte et cherche à s'incruster.

Envahissante, nous ne savons jamais quand elle finira par s'en aller.

LA PEUR, elle nous rentre dedans, nous fait claquer des dents.

Elle fait trembler, fait suer.

LA PEUR, elle colle à la peau, impossible de s'en débarrasser... à moins de l'APPRIVOISER.

LA PEUR, elle fait mentir, elle fait fuir.

Vive, bleue, menaçante, troublante,

elle arrive par en arrière ,pousse dans le dos, paralyse, bouscule sans scrupules.

Certains disent que nous pouvons mourir de peur,

pourtant, nous sommes encore bien vivants!

LA PEUR, elle joue des tours.

Elle est ce scénario, qui dans ma tête, parle trop.

À d'autres moments, elle rappelle de douloureux événements que nous souhaiterions oublier pour toujours.

Mais voilà que la peur fait apparaître, puis disparaître d'un coup de baguette, ce que nous voulions envoyer aux oubliettes.

LA PEUR, elle est partout, même à notre table.

Plus je la nourrie, plus elle devient énorme.

LA PEUR, elle est aussi dans notre lit, nous réveillant la nuit, impitoyable.

Elle nous suit, nous transforme.

LA PEUR ne se combat pas, elle ramène à soi.

Elle n'est pas ennemie, elle est notre amie.

Celle qui invite à se réconcilier, avec une partie de nous oubliée.

LA PEUR, elle est facteur, porteur de messages.

LA PEUR A UN ALLIÉ... C'EST LE DÉSIR, CHERCHANT À SORTIR DE L'OMBRE, POUR APPRENDRE À VIVRE, DÉSIR ET PEUR RÉCONCILIÉS.

LA PEUR, nous la connaissons tous.
Et si on cherchait ensemble à la déjouer,
en s'amusant à trouver le désir qui se cache derrière ?

Je vous propose, en guise de conclusion, ce petit jeu :

1) Dans un premier temps, identifiez une peur qui vous parle :

      a) la peur de perdre son amour

      b) la peur de perdre votre liberté

      c) la peur du ridicule

      d) la peur de décevoir

      e) la peur de blesser

      f) la peur du jugement

      g) la peur du rejet

      h) autre :

J'ai peur :_____.

2) Puis, réfléchissez à : quel est ce désir, qui peut bien se cacher, derrière cette peur ?

MON DÉSIR C'EST : _____.

3) Je vous invite, maintenant, à symboliser ce désir, par un objet ou une image et à vous en occuper.

Prenez en soin, chaque jour.
Ressentez combien il est plus énergisant et apaisant de nourrir ses désirs plus que ses peurs.
Vous verrez...
Cette expérience a changé ma vie. Je souhaitais, en toute simplicité, la partager avec vous.

Joelle Rivard, qui est-elle ?

Femme, conjointe, maman de 2 adolescentes, membre d'une famille reconstituée; Éducatrice spécialisée depuis 20 ans, elle a œuvré auprès de centaines d'enfants, d'adolescents, de parents ainsi qu'auprès d'enseignants (es).

Différents milieux : Le Centre de réadaptation la Maison, écoles primaires et secondaires, Centre Musical en Sol Mineur, l'école l'Élan, ont bénéficié de ses talents. Passionnée par les relations humaines, Joelle Rivard développe l'art de communiquer.

Depuis 3 ans, elle s'est lancée dans l'animation d'ateliers et de conférences, en communication relationnelle, auprès de différents organismes et, entre autres, le milieu scolaire. À travers des règles d'hygiène relationnelle, la visualisation externe, la symbolisation, la mise en mots afin de minimiser les « maux », Joelle Rivard nous amène à explorer de nouveaux sentiers, où nous nous aventurerons à FAIRE autrement. Plus : ÊTRE ! tout en vous permettant d'entrer en contact et de prendre soin de votre « outil » le plus important : VOUS-MÊME.

ÊTRE EN RELATION, plus qu'en réaction, et ce, dans tous les domaines de votre vie (couple, famille, parent-enfant, travail), voilà le défi qu'elle nous propose.

Auteure à ses heures, son livre « *Maux de vie... Vie de mots* » sera publié très prochainement.

Pour la contacter : Joelle Rivard
(819) 762-9312
courriel : joelle212@hotmail.com

À vous maintenant de mettre en mots votre propre histoire...